LE MONDE
À PEU PRÈS

DU MÊME AUTEUR

LES CHAMPS D'HONNEUR, *roman,* 1990
DES HOMMES ILLUSTRES, *roman,* 1993

JEAN ROUAUD

LE MONDE À PEU PRÈS

LES ÉDITIONS DE MINUIT

© 1996 by LES ÉDITIONS DE MINUIT
7, rue Bernard-Palissy, 75006 Paris

En application de la loi du 11 mars 1957, il est interdit de reproduire
intégralement ou partiellement le présent ouvrage sans autorisation de l'éditeur
ou du Centre français d'exploitation du droit de copie, 3, rue Hautefeuille, 75006 Paris.

ISBN 2-7073-1563-X

I

Moi qui redoute la compagnie des hommes, dont les conversations me lassent, c'était bien ma veine, après huit années de pensionnat à régime sévère (trois vieilles sœurs à la moustache adolescente assurant la seule présence féminine), de me compter maintenant parmi les membres de l'équipe réserve de l'Amicale Logréenne, dans ce vestiaire triste de campagne, implanté en bordure de ce qui relèverait d'un champ de labour, n'étaient les lignes tracées à la chaux et les poteaux de but – et cela sans l'avoir vraiment voulu, sinon faute de mieux, comme un remède ancien à l'ennui des dimanches.

Mais un temps à ne pas mettre le nez dehors. D'où l'empressement de la plupart des joueurs, au coup de sifflet final, à se réfugier entre les quatre murs élevés à la va-vite du baraquement, chacun prenant soin de dégager la boue de ses chaussures en cognant les semelles contre le seuil de béton, jonchant ainsi le sol de galettes de terre trouées, comme à l'emporte-pièce, par les crampons, avant de regagner sa place indiquée par la patère bossue où pendent ses vêtements, et de s'asseoir plus ou moins lassement, selon l'état de fatigue réel ou suggéré, sur le banc communautaire qui ceinture la petite pièce envahie par les effluves d'huile camphrée et de transpiration. Un abri de fortune : plaques rectangulaires de ciment glissées entre des montants rainurés, porte métallique verte à la vitre grillagée dispensant à l'intérieur, avec le lucarnon dans le coin des douches, la maigre lumière grise d'un après-midi d'hiver, toit unipente en matériau composite ondulé, mais cela suffit pour arrêter le mélange atlantique de vent, de froidure et de pluie, qui fige les rares spectateurs repliés à présent sous l'auvent de la buvette, et dont on se demande quel plaisir ils peuvent trouver à des rencontres aussi peu passionnantes. Mais il n'y a pas que l'ennui, la solitude aussi amène à faire des choses étranges. Une poignée de fidèles, de dimanche en dimanche, plantés le long de la rambarde ceinturant le terrain (un tube blanc, à la peinture écaillée, enfilé au sommet de poteaux de béton), recroquevillés, poings dans les poches, tapant ostensiblement du pied, le bas du pantalon retourné afin de le protéger de la boue – d'où cette manière délicate de se déplacer sur la pointe des souliers –, quelques-uns en casquette, d'autres le cheveu dégoulinant, mais c'est curieux comme dans cette région où il devrait logiquement s'imposer, l'imperméable est rare, comme si son usage, ou celui du parapluie, conférait à son utilisateur un statut de fillette, de poule mouillée, ce qui la ficherait mal dans cette enceinte d'hommes. D'ailleurs la plupart se contentent de relever frileusement le col de la veste, la même pour toute l'année, une écharpe aux couleurs d'automne marquant seule la différence entre les saisons, même pas nouée, croisée lâche sous les pans boutonnés du vêtement, presque superflue : cette indifférence hautaine aux aléas climatiques quand le portefeuille peine à s'y adapter.

Mais connaisseurs, à force. On les entend du bord de touche lancer aux joueurs de pertinentes consignes : passe, tire, dégage – quoique facile à dire, bien sûr –, se lamentant d'une balle perdue comme si sur le coup le sort du monde en dépendait, tournant momentanément le dos de l'air de ceux qui ne veulent plus voir ça ou qui en ont trop vu. Mais le monde n'est pas en cause, il s'agit juste par ce dépit exprimé de montrer à un public se réduisant à eux-mêmes qu'ils prennent de l'intérêt à la partie, ou du moins qu'ils cherchent mutuellement à s'en convaincre. Alors pourquoi celui-là garde-t-il la balle quand son partenaire démarqué s'est déjà engouffré dans une brèche de la défense, provoquant un début de panique dans les rangs adverses ? L'occasion serait nette et franche, la balle déjà dans les filets, si l'autre idiot, moi par exemple, ne s'ingéniait à vouloir la garder, la balle, s'essayant à de vaines feintes de corps, c'est-à-dire que devant le défenseur vous faites semblant de vouloir partir à droite afin qu'il pense que vous allez le déborder sur la gauche, mais en fait c'est à droite que vous comptez passer, mais l'autre, un descendant sans doute de ces Vikings qui semèrent la terreur dans

11

l'estuaire de la Loire au IXᵉ siècle avant de s'y installer, donc un grand blond buveur de sang, ne s'embarrasse pas de ces subtilités stratégiques et d'un coup d'épaule vous écarte sans ménagement, récupérant tranquillement le ballon qu'il réexpédie très loin en avant avec le sentiment du devoir accompli. Cette modestie sereine qu'il affiche alors ne vous abuse pas : vous entendez distinctement que sa tête résonne des clameurs d'un stade de cent mille places.

On se vexerait à moins. L'artiste balayé par la force brutale. Et comme si la leçon ne suffisait pas, votre partenaire, l'engouffré dans la brèche, vous prend à partie et, joignant le geste à la parole, levant les bras au ciel puis les abaissant pour montrer entre ses pieds une motte de terre qui ne semble pas être l'objet du litige, vous explique qu'il était là, tout seul, n'attendant que de recevoir le ballon pour le mettre dans le fond – entendez, dans le but – et qu'il n'en peut plus de toutes ces belles occasions gâchées par votre propension à jouer seul, personnel – c'est le terme –, que c'est vraiment faire montre d'un extraordinaire égoïsme, ne rien comprendre au jeu d'équipe qui réclame abnégation, entraide, individualité au service du groupe, et qu'à son avis je ferais mieux de me consacrer au lancer de fléchettes, à la pêche à la ligne ou au grimper de corde. Mais la rumeur, coupant court à ce débat tous-contre-un un-contre-tous, vous signale que le ballon est déjà de retour – il circule à grande vitesse dans ce genre de partie, d'un bord à l'autre comme un apatride indésirable – et là, ils vont voir ce qu'ils vont voir, cette balle en cloche, je vais l'amortir du bout du pied. Or c'est un exercice, l'amorti, très apprécié du quarteron de supporters qui ne pourra nier votre technique irréprochable et les fera davantage regretter votre prétendu manque d'intérêt pour le jeu collectif.

Alors que d'ordinaire un ballon rebondit, il va, regardez bien, rester collé à ma chaussure. Le pied en suspension accompagne en douceur le mouvement de la chute, réduisant à rien les forces de résistance. Et pour mieux comprendre ce problème de physique, prenez deux trains circulant en sens inverse sur une même voie. Au moment de l'impact inévitable – horrible, mais ce n'est pas le sujet –, l'un part à reculons et arrête progressivement la locomotive emballée. Maintenant, devinez qui tient le rôle du chauffeur émérite et plein de sang froid ? Vous venez à peine de résoudre ce problème de croisement de trains sans croisement que, profitant de votre légitime relâchement (vous savourez mentalement la une des journaux : il sauve des milliers de vies humaines, et l'humble expression de votre visage sur la photo pleine page, paupières baissées, je n'ai fait que mon devoir), surgi traîtreusement de derrière votre dos, le buveur de sang d'un bond interpose sa tête entre le ballon et votre chaussure. Cette fois les deux locomotives se percutent bel et bien. Fracas de crâne pulvérisé. Mais comment ne tombe-t-il pas dans un coma dépassé ? Vous demeurez un instant médusé, le pied suspendu au-dessus du sol à jongler avec une bulle d'air sous les huées du quarteron et du spécialiste de la brèche : mais qu'est-ce qu'il attend ? Le train ? Votre revanche viendra peu après, votre douce consolation, la justification de votre faible engagement : le front du vampire blond dégouline de boue. A y regarder d'un peu près, je suis le seul dans ce marécage à n'être pas crotté. Ce qui, compte tenu des conditions, relève d'une espèce de prodige.

Mais ce luxe à trois sous, j'y tiens. C'est ma supposée distinction, mon autoproclamée élégance – comme de jouer les jours de grand froid un foulard autour du cou négligemment assorti à la couleur du maillot. Des manières, disent-ils. Manière surtout, si vous saviez, de ne pas m'écrouler devant vous.

Quelques années plus tôt, mordu comme on peut l'être à treize ans, désolé d'une défaite, malheureux de ne pas lire son nom dans la composition de l'équipe, désemparé hors des périodes de championnat, il m'arrivait de quitter brusquement le terrain au milieu d'une partie, sans prévenir, provoquant l'incompréhension des autres joueurs, de l'arbitre et des bénévoles du dimanche matin, maigre public de pères accompagnant leurs fils et se chargeant au passage de convoyer l'orphelin attendant son sac à la main devant la porte du magasin de sa mère qu'on vienne le chercher, redoutant qu'on l'ait oublié, prenant naturellement place à l'arrière de la voiture, éternel passager à la merci des horaires de ses hôtes, s'habituant peu à peu à ne rien demander, à se débrouiller seul, à se passer des permissions au risque de sévères remontrances. Mais qu'est-ce qu'il lui prend encore à celui-là ? Il me prenait que, fortement enrhumé, je n'avais pas envie, comme c'était la pratique, de me moucher dans mon maillot, ou comme d'autres, plus délurés, en pressant d'un doigt une narine, d'expulser en soufflant très fort une longue chandelle qui, avant de se scinder, indiquait la direction du vent et dont les restes s'essuyaient d'un revers de la manche. Opération pour laquelle je n'avais pas la méthode, trop timoré, car il convient dans ce cas, le corps penché en avant et la tête de trois quarts, d'oublier son quant-à-soi et de ne pas faire les choses à demi, sous peine de conséquences fâcheuses qu'on peut imaginer, aussi valait-il mieux que je courre prestement récupérer un mouchoir dans mes affaires.

Mais ça ne se fait pas, on n'a jamais vu une chose pareille, qu'est-ce que c'est encore que ces manières ? Et on me le signalait en fin de match, de retour dans les vestiaires ou ce qui en tenait lieu, un vieux car, par exemple, sa carcasse tirée on ne sait trop comment jusqu'à son cimetière, par un tracteur sans doute – fierté du tracteur attelé à autre chose qu'à sa charrue –, un recyclage habituel, comme au fond des jardins celui d'une fourgonnette en poulailler. Ici, un car Citroën, un modèle ancien qu'on pouvait encore croiser dans le sud du département, tôle chocolat et nez aplati de bouledogue, pneus dégonflés, vitres brisées remplacées par des bâches vertes aussitôt tailladées, fauteuils percés libérant bourre et ressorts, mais l'essentiel demeurait : le large volant de Bakélite noir, les pédales et le levier de vitesse, si bien qu'ils étaient plusieurs à se battre pour jouer à tour de rôle au conducteur.

Mais alors toute réprimande, aussi anodine fût-elle, comme celle-ci : on n'abandonne pas la partie pour une raison aussi futile, me remplissait instantanément les yeux de larmes, m'obligeant pour ne pas qu'elles coulent à improviser une piètre défense, luttant jusqu'au dernier mot perdu, pensant : ils en profitent parce qu'il n'est plus là, serait-il là, mon père trop tôt en allé, que ça ne se passerait pas comme ça, et à court d'arguments reprenant le dirigeant de la petite équipe, aux études courtes et lointaines, sur une faute de grammaire – d'abord, on ne dit pas ceci mais cela –, et le repris, cantonnier de son état, dévoué, fidèle, se retenant de gifler l'insolent repreneur, empêché peut-être par l'ombre fraîche encore du grand disparu s'interposant entre eux comme une lame puissante remontée des profondeurs.

Alors, pensez, se rouler dans la boue, vous n'y pensez pas. Quoique certains visiblement ne semblent pas rebutés, qui sortent du terrain plus sales qu'un vainqueur de Paris-Roubaix – les années pluvieuses, les seules qui comptent dans la légende de l'Enfer du Nord –, la couleur du maillot même plus discernable, au point qu'on se demande comment ils font en entrant dans les vestiaires coupés en deux (d'un côté les autochtones, de l'autre les visiteurs) pour ne pas se tromper de porte. Remarquons que ceux-là, les maculés, montrent moins d'empressement à se mettre à l'abri, s'attardant à discuter stratégie et technique, ce qui n'est pas sans mérite quand on se rappelle la mêlée confuse, analysent, commentent, laissant ainsi à leurs interlocuteurs le temps d'admirer leurs plaies glorieuses sous la cuirasse de boue, au point qu'on craindrait qu'ils ne se transforment en poterie humaine s'ils devaient faire face à un brutal réchauffement de l'atmosphère – quoique peu probable sous ces latitudes.

Mais, de fait, on ne peut leur reprocher un manque de combativité. Le quarteron de supporters, toujours friand de sueur, de sang et de larmes (mais de larmes, un peu moins), ne tarit pas d'éloges sur ces vaillants combattants de l'ombre et leur science innée du camouflage : cet acharnement à courir après toutes les balles, à se jeter dans les pieds de l'adversaire, à prendre des coups, les rendre et ne s'avouer jamais battus. D'autant que, battus, nous le sommes souvent – notre lot quasi dominical – et que l'enjeu est incertain. Nul espoir de se hisser dans la division supérieure, nulle coupe à conquérir, pas même le risque, étant donné nos mauvais résultats, d'une relégation puisque nous évoluons dans la dernière série, l'ultime, et qu'en dessous il n'y a rien. La roche-mère, c'est nous. Pour seul objectif le dur désir d'être là, faute d'ailleurs. Une équipe dépotoir, réserve de la réserve, composée de tous les laissés-pour-compte du talent et de la limite d'âge : à dix-huit ans trop vieux pour les équipes de jeunes, à quarante-cinq trop entêtés pour admettre que le temps a fait son temps.

Le plus admirable, c'est qu'il arrive parfois à ces forcenés du corps à corps de manifester une sorte de découragement supérieur quand ils considèrent la somme d'efforts déployés en vain, ces coups reçus sans le baume de la victoire, déplorant à mots couverts que certains ne jouent pas le jeu, tout en portant un regard en coin vers celui qui, preuve de sa forfaiture, finit le match propre comme un sou neuf. Moi, disons. De fait, les éclaboussures sur ma cuisse, je n'y suis pour rien, une erreur imputable au malchanceux qui, victime sans doute d'un glissement de terrain au moment crucial, a, au lieu du ballon, frappé violemment une motte de terre, soulevant une gerbe qu'il prit sur lui de recevoir massivement, sans éviter à l'entourage quelques embruns. Une bévue qu'après s'être décrassé les yeux il s'empresse d'attribuer à une défection de ses crampons, vérifiant la semelle de sa chaussure et, ne trouvant pas la panne, renouant son lacet, beaucoup trop long, ce qui exige d'en enrouler soixante centimètres autour de la cheville ou du cou-de-pied, mais néanmoins il ne viendrait à personne l'idée de le raccourcir, plutôt proposer de couper le plumet d'un shako. Et si l'argument de la chaussure ne paraît pas recevable, il lui reste encore la solution de boiter quelques pas, en posant précautionneusement le pied par terre, comme de la main on prend la température d'une

18

plaque électrique, tout en affichant un rictus de douleur sous le masque de boue. Mais on ne nous y reprendra pas. Celui-là, dorénavant on le fuit comme la peste. Pas question de lui disputer quoi que ce soit. Le ballon, qu'il le garde, qu'il prenne son temps, qu'il fasse ce que bon lui semble, nous lui laissons le champ libre.

Nous, nous jouons à notre guise, selon notre humeur, évitons de tacher notre tenue et veillons en toutes circonstances à camoufler notre effort sur le modèle de celui qui chante dans les supplices, ou fredonne, ou du moins donne l'impression de rechercher un air qui lui échappe, ou encore du gardien de phare qui, seul dans sa tour, se refuse à grimper à quatre pattes les cent dernières marches bien qu'il n'ait d'autres témoins que les déferlantes projetant leur écume lumineuse sur le grand cyclope de pierre. Au résultat, à cette fin toujours trop triste pour justifier les moyens, nous préférons la beauté du geste. C'est pourquoi, foulard en cotonnade indienne autour du cou, vous me voyez, sans comprendre peut-être, dribbler les flaques, contourner les taupinières, ces petits volcans de terre meuble hauts comme trois pommes qui jalonnent les mauvais terrains, slalomer entre les gouttes de pluie, offrir une passe à un adversaire, éviter d'un saut délicat un homme à terre, envoyer le ballon droit dans les bras du gardien rival, ce qui le dispense de se vautrer dans la vase – même si à ce niveau on n'attend pas de lui d'envolées spectaculaires, ces plongeons de dauphin qui font le délice des ralentis le dimanche soir sur les écrans de télévision, images tournées à des années-lumière d'une rencontre intersidérale entre Mars et Jupiter, lui se contentant généralement de tendre la main, d'allonger la jambe ou, si le tir lui semble trop violent, tout en se protégeant la tête de ses bras repliés, de se retourner en opposant dos et postérieur, lesquels font montre parfois d'une vista surprenante.

Mais prétention d'esthète inefficace, dont on comprend qu'elle hérisse le poil du quarteron et des spécialistes de la brèche. Pourtant il ne nous reste que cela, comme ces femmes qui, face au grand jour vide à perte de vue, prennent sur elles le matin de peigner leurs cils et d'ombrer d'une vague bleue leurs paupières, il ne nous reste que cela dans le sombre dimanche humide et désolé, que cela : ces petits pas de danseurs. De danseuses, disent-ils. Si ça vous amuse.

Le plus drôle, c'est que je n'ai rien vu – cette vision tremblée des myopes qui tient le monde à distance, le confine dans un étroit périmètre de netteté aux contours de plus en plus incertains, poudreux, au-delà desquels les formes perdent la rigueur des lignes, se glissent dans une gaine flottante, s'entourent d'une sorte de nuage électronique. Ce qui constitue une réalité physique, au vrai, scientifique, si bien que le myope se trouve avoir une vision microscopique des choses, percevant jusqu'aux filaments du liquide lacrymal qui se déplacent sur la rétine.

Mais pour ce qui est de voir grand, à un rayon de là, c'est-à-dire de l'iris, c'est l'athanor : l'univers fusionne, se désagrège, domaine verlainien du flou, de l'imprécis, composition tachiste du paysage, couleurs débordant du trait, volumes aquarellés, blocs brumeux, perspective évanescente, profondeur écrasée, silhouettes escamotées, nuages bibendum dégonflés, ciel tendu comme un lointain de théâtre, lumières électriques noyées dans une nuée de micro-étincelles, soleil corpusculaire, disque de lune ceinturé, quelle que soit la saison, d'une parasélène, cette couronne crayeuse dont on dit qu'elle est signe de neige. Eh bien non, bonne nouvelle, il pourra faire très beau demain. Nous apprenons ainsi à nous passer de l'avis des prévisionnistes, futurologues, clairvoyants. Les jours se découvrent à mesure, comme ils viennent. A quoi bon s'y préparer la veille ? Demain se suffira bien à lui-même. Pour annoncer les cataclysmes et les fléaux de l'an trois mil en d'obscurs quatrains, nous sommes, du fait de cette vision au ras des pâquerettes, un peu courts, trop préoccupés de saisir ce qui nous brûle les yeux, mais en ce qui concerne la vie des fourmis, le nez dans l'herbe, rien ne nous échappe. L'art du détail, le bruissement du vent, le tapotement de la pluie, c'est notre fonds de commerce.

Quant au moyen terme, la zone des brouillards, la plus incommode, c'est une question de méthode. Prenez par exemple ce dôme vert suspendu au-dessus du sol. En une fraction de seconde (voilà qui rend le cerveau agile et déductif), vous éliminez la possibilité d'une coupole monumentale, style Saint-Pierre de Rome, Invalides, Val-de-Grâce, laquelle se couvre généralement de feuilles d'or, ou d'une soucoupe volante, qui a la forme d'une soucoupe, ou d'un nuage de gaz toxique (la guerre n'est pas déclarée), il doit donc s'agir d'un arbre. Vous vous approchez. Bravo. Pour plus de précisions vous cueillez d'un saut une feuille, l'étudiez : bords lobés, quasi-absence de pétiole – chêne pédonculé. Un œil de lynx vous en apprend-il autant ? Et puis, ce n'est un secret pour personne, les choses du monde ont été si souvent racontées, décrites, analysées, exhibées, montrées sous toutes les coutures, qu'on ne se donne même plus la peine de les regarder. On croit les connaître par cœur. On jure de bonne foi, en se fredonnant un petit air enjoué, que ça c'est Paris, alors que Paris ce n'est plus ça, du moins plus tout à fait ça, déjà autre chose. Il faudrait Paris ruiné, dévasté, rasé, avant qu'on pense à rajouter un couplet nostalgique, et encore, pas tout de suite. Persistance rétinienne. Mais admettons qu'il y ait quelques inconvénients à cette vue en raccourci. Les beaux panoramas, à vous entendre, nous passeraient sous le nez. Soit, mais que fait-on d'un beau panorama ? On en jouit ? Jouir vraiment ? Vous me faites marcher. De toute manière nous avons la Vue de Delft, et si l'on en croit Impression, Soleil Levant, on ne perd pas grand-chose.

Sur un terrain le ballon, même maquillé en fille de l'air, se repère assez facilement. Dans un endroit aride et désolé, quand un vol circulaire de vautours retient votre attention, vous vous dites, nez en l'air : tiens, un cadavre. Ici c'est la même chose. Le ballon se trouve là où la concentration de joueurs est la plus forte. Et d'ailleurs c'est toujours le cuir de ce vieux bouc tragique qu'on se dispute, à savoir moins sa carcasse stylisée que ses super-pouvoirs. Et c'est vrai qu'un bouc monogame, on n'en eût jamais fait tout un plat : du coup, pas d'Abraham, pas de théâtre grec, pas de parties de ballon. Tristes dimanches. Et donc de temps en temps, pour peu qu'il ne soit pas trop loin, on s'approche de ce paquet humain, comme on va aux renseignements, par curiosité, pour voir, par acquis de conscience, mais quelquefois, surprise, l'attroupement se forme autour d'un homme à terre, hurlant sa douleur en se tenant la jambe. *A priori*, pas de quoi dramatiser, la scène est habituelle, c'est pourtant là qu'une vue incertaine peut jouer des tours. Avant de traiter l'homme blessé de simulateur, de l'inciter au plus vite à se remettre sur pied en arrêtant son cinéma, vérifiez si son tibia n'est pas à angle droit. Ce qui peut se réveler embarrassant – et pas seulement pour le mutilé.

Quoique la plupart du temps il ne serve à rien de courir : laissez venir. Il y aura toujours un moment dans le match où le ballon vous tombera dans les pieds. Soit que dans un excès de zèle vous l'ayez réclamé et qu'un partenaire altruiste et adroit ait jugé charitable de vous le passer (ou, ne sachant qu'en faire, de s'en débarrasser en vous le passant), soit que le hasard ait pris les choses en mains et, résultat d'un formidable calcul de probabilités, il se trouve que c'est à vous de jouer.

A moi de jouer ? D'accord, mais prévenez le spécialiste de la brèche, l'éternel engouffré dans la défense adverse, dites-lui qu'il arrête de crier, de réclamer. Il en faut pour tout le monde, chacun a bien le droit de s'amuser. Car le ballon, déjà on le voit peu au cours d'un match – et moi et mes problèmes dioptriques, encore moins –, alors, qu'il comprenne, se montre beau joueur. Le hasard, de trajectoires aléatoires en rebonds capricieux, en a décidé ainsi :

c'est à mon tour, le sien viendra, ses courses folles dans le dos de la défense adverse finiront bien par porter leurs fruits (ce qu'il appelle jouer « à l'anglaise », une tactique assez sommaire au demeurant : longues balles en avant, sprinters fonçant vers la ligne de but, si bien qu'on ne sait plus s'il s'agit d'une partie de balle au camp, de foulard, ou de ce problème mathématique où quelqu'un au faible sens pratique entreprend de ramasser une pomme tous les mètres en la rapportant à chaque fois dans son panier, parcourant ainsi l'équivalent de trois fois le tour de la planète, ce qui, pour une compote, une bolée de cidre ou une tarte Tatin, complique tout de même la vie).

Mais, à présent que vous avez le ballon dans les pieds, se pose la question : qu'en faire ? L'idéal serait de le conserver toute la durée de la partie, qu'il ne vous lâche pas d'une semelle comme un petit animal de compagnie, mais ça ne s'est jamais vu. Ce serait à voir, mais celui-là, l'admirable, le corps de ballet à lui tout seul, on ne donnerait pas cher de sa peau. Le mieux est donc de ruser. Par exemple en le passant à un partenaire dans l'intention qu'il vous le renvoie. Cela s'appelle un une-deux et c'est une figure également appréciée du quarteron des supporters. Mais, n'étant jamais sûr de le revoir, le ballon (l'autre n'est pas forcément animé des mêmes sentiments à votre égard), autant le garder pour soi. L'ennui c'est qu'alors vous avez une horde à vos trousses. Cette hargne qu'ils manifestent parfois : on les dirait lancés dans une chasse à l'homme. De sorte que vous vous appliquez à déjouer les pièges, les jambes tendues, les bourrades inamicales, les coudes dans les côtes, les tirages de maillot. Vous virevoltez, tournoyez comme une abeille prisonnière d'une bouteille, cherchez la faille dans ce labyrinthe humain, reculez le plus souvent – et ce gambillage, totalement improductif –, mais le ballon, c'est l'essentiel, et c'est pour cette raison que vous êtes là, reste dans vos pieds, indécollable. Vous ne le quittez pas des yeux, tête obstinément baissée, insensible aux revendications des uns et des autres. Vous vous bâtissez un cône d'existence dont la source du regard constitue le sommet et que sur sa base le ballon ne doit pas franchir. Ce qui, bien sûr, à les entendre, est l'exact contraire de ce qu'il faudrait faire. Comment juger du jeu, anticiper, préparer les futures combinaisons, le nez dans ses souliers ? Ceux-là prêchent pour eux-mêmes, pour le spectacle qu'ils réclament. Mais que savent-ils de la perspective du myope ?

Entre douze et quinze ans, mon âge d'or, il n'était pas rare qu'ils s'y prennent à quatre ou cinq pour tenter de m'arrêter. Vous pensez que j'exagère, que je profite de la situation, mais à peine, et c'est de la sorte qu'on s'acquiert une petite réputation d'épouvantail. Mais qu'en reste-t-il quelques années plus tard, après une longue interruption sabbatique ? Les corps se sont étoffés, ont doublé de volume, se sont haussés de trois têtes. Les feux follets, soumis au même régime mais courant encore après cette flamme vive de l'enfance, livrés à cette métamorphose brutale, bousculés, sont immanquablement mis sous éteignoir, étouffée la petite musique mozartienne par la fanfare municipale. La nouvelle donne leur échappe. Le grand blond descendu de son drakkar, prévenu de l'âpreté de l'existence, ne s'encombre pas de ces joliesses, afféteries, fioritures. La perspective se raccourcit, et les bonheurs du myope.

Plus de mise, cet art de la virevolte. Alors un dernier chant, un dernier pas de danse : crochet à droite, petit pont à gauche, soulever le ballon qui rebondit sur la pointe du soulier, et dos au but, au jugé, sans trop savoir où il se trouve, loin sans doute, trop loin pour ma force de frappe, brusquement se retourner et taper dans la balle comme on expédie son enfance, laquelle se perd dans le lointain brouillé. Et c'en serait fini si, à votre étonnement, vous ne voyiez soudain les bras de vos partenaires se lever en signe de triomphe. Vous entendez le sifflet de l'arbitre, sorte de roucoulade stridente, la rumeur flatteuse du quarteron sur la touche se félicitant que leurs conseils avisés – tire, mais qu'est-ce qu'il attend pour tirer – aient enfin porté leurs fruits, et vous comprenez qu'à votre insu le ballon a dû réussir à se faufiler entre le gardien et les poteaux de but. Vous ne saurez jamais à quel endroit – la lucarne peut-être, d'où la rumeur flatteuse – ni si les filets ont tremblé, mais, vous joignant à contretemps à la liesse des aficionados, vous levez à votre tour un bras vainqueur. Vous vous dites sans doute que c'est dommage de n'être pas spectateur de ses exploits. Mais non. Vous êtes le témoin solitaire de quelque chose d'infiniment plus subtil : un petit sourire du destin.

La marque tendait maintenant à s'effacer, il ne subsistait plus après plusieurs semaines qu'un vague souvenir d'ecchymose sur l'épaule mais que les tapes amicales de mes contempteurs habituels, me félicitant pour mon formidable but d'aveugle, contribuaient à raviver. Et si je souriais, ce n'était pas comme ils le croyaient en raison de mon exploit dont je n'ignorais pas qu'il devait essentiellement à la chance, au vent et à la maladresse du gardien adverse, je souriais parce qu'il y avait plusieurs dimanches maintenant que j'étais celui-là, assis sur son banc, qui, le torse nu, se penche de longues secondes au-dessus de son sac de sport à la recherche de sa chemise ou d'un improbable tube de pommade, dans l'espoir que quelqu'un remarque enfin ce stigmate sur son épaule gauche et l'accompagne d'un commentaire suggestif, voire même grivois, qui n'eût laissé aucun doute sur l'origine de la cicatrice. Mais personne, et même pas Gyf avec qui j'avais joué deux ou trois matches-tests avant qu'on me rétrograde dans l'équipe dépotoir, n'avait rien noté, de sorte que dépité je finissais par me rhabiller, sans même prendre la peine de me laver, ou juste une toilette de chat.

Pas question en effet de prendre une douche collective, de s'exhiber comme certains qui, après s'être vigoureusement savonnés, traînaient sans gêne apparente dans le plus simple appareil, comme si de rien n'était, évoquant devant vous une passionnante et stratégique phase de jeu, tandis que vous plongez la tête dans votre sac à la recherche de l'improbable pommade. On imaginerait que ceux-là profitent de la situation pour faire valoir d'autres arguments, mais non, vu du fond de mon sac, pas de quoi s'alarmer, et j'étais bien d'accord qu'après ce que je venais de montrer, ce but historique, je devrais plus souvent tenter ma chance de loin, mais là, sur mon épaule, tu n'aperçois rien ? cette auréole dentée profondément incrustée dans la peau, ça ne te dit rien ? Tu connais la légende du soulier de Cendrillon et de son petit pied ? Eh bien, si tu essayais toutes les dentures du monde (pour simplifier : de sexe féminin, autour de vingt ans et répertoriée dans la région), il n'y en a qu'une qui correspondrait exactement à cette empreinte. Pour ta gouverne, et moi pour le plaisir de prononcer son nom, la belle à la morsure féroce se fait appeler Théo. Mais Théo : tu n'imagines même pas. Alors, va exhiber ailleurs ton petit chose tire-bouchonnant.

Ou peut-être n'avaient-ils pas daigné me faire ce cadeau d'un mot, d'une remarque qui m'auraient élevé à leurs yeux au statut d'homme. La morsure pourtant avait évolué au cours des semaines selon un spectre de couleurs voisin de l'arc-en-ciel, du rouge au bleu, du jaune au violet, et maintenant, reprenant un teint plus proche de la carnation, elle tendait à n'être plus qu'un souvenir, de sorte que les mains s'abattant sur mon épaule en guise d'hommage à mes talents de buteur faisaient en ranimant cette blessure en voie de guérison comme une piqûre de rappel à ma nuit d'amour.

Théo ne m'avait pas pris au dépourvu, me mettant en garde avant même d'entamer mon épaule, que je n'hésite pas à l'arrêter si elle me paraissait en prendre trop à son aise, mais j'y avais vu une sorte d'ordalie, de jugement de Dieu, et elle m'aurait arraché les chairs plutôt que je demande grâce. Ce que sans doute elle eût fait si elle n'était parvenue à ses fins. Après quoi elle déposa au même endroit un chaste baiser réparateur, s'inquiétant juste : tu n'as pas eu mal ? De quoi parles-tu, tendre Théo ? tandis que je vérifie du bout des doigts si le sang ne coule pas de mon épaule.

Gyf avait été un peu échaudé par son intervention à l'assemblée générale au cours de laquelle la mise au point des mots d'ordre de la manifestation l'avait contraint à une périlleuse joute verbale. Les critiques des camarades étudiants qui n'avaient pas apprécié sa prise autoritaire de parole, le faisant même passer pour un crypto-conservateur, voire un nervi de la haute finance internationale (lui, l'orphelin misérable et le seul authentique mongo-aoustinien de la bande), avaient douché son ardeur révolutionnaire, et prenant un peu de distance avec la cause, il s'était opportunément souvenu que ses centres d'intérêts, hors le militantisme, ne manquaient pas.

Animateur dans le village de sa grand-mère de l'Amicale Logréenne, il s'était mis en tête, en réaction sans doute (ses mêmes camarades l'accusant d'opiumiser le peuple), de jouer les sergents-recruteurs. Après nos retrouvailles, il avait ainsi pris l'habitude de me rendre visite dans ma chambre, à la cité universitaire, où devant des bières apportées par ses soins il m'entretenait de ses multiples projets, n'omettant pas à chaque fois de me rappeler qu'il comptait toujours sur moi pour composer la musique de son film, mais une conversation à sens unique à dire vrai, à laquelle il trouvait d'autant plus d'intérêt qu'il avait rencontré avec moi une oreille idéale. Bien qu'ayant un jour aperçu sur mon bureau quelques extraits de mon grand œuvre, une pièce de théâtre mettant en scène une sorte de double de Rimbaud et traitant de son impossible retour, il n'avait même pas eu la curiosité de me poser des questions. D'où j'avais constaté avec tristesse et gratitude qu'il n'y avait que Théo à s'être vraiment intéressée à mon Jean-Arthur, lequel, privé de son unique adoratrice, avait sombré dans un coma cryogénique où il attendrait jusqu'à la fin des temps que la belle vînt l'en sortir.

Car à la vérité, si je prêtais une oreille aussi bienveillante à la logorrhée de Gyf c'est que j'espérais y croiser Théo, en apprendre un peu plus sur elle, sur ce qu'elle devenait, ou même simplement entendre son nom. Mais il n'y fit qu'une seule fois et brièvement allusion, me demandant si je l'avais revue depuis le jour de la manifestation, et comme je lui répondais par la négative, n'ayant pas envie d'entrer dans les confidences, il n'insista pas, préférant se rappeler, comme nous évoquions Saint-Cosmes et nos souvenirs du collège, que je n'étais pas maladroit un ballon dans les pieds. Si sa mémoire ne le trahissait pas, j'étais même assez difficile à arrêter : est-ce que je jouais toujours ? Plus depuis deux ou trois ans, pourquoi cette question ? Eh bien, si je ne savais pas quoi faire de mes dimanches, il proposait de m'inscrire à l'Amicale, Logrée n'était pas si loin de Random et il passerait me chercher, ce serait une bonne occasion de se voir hors de la faculté.

Le hic, c'est que je n'étais pas certain d'y trouver le même intérêt que jadis, raison d'ailleurs pour laquelle j'avais cessé de jouer. A mesure que les joueurs grandissaient, le jeu devenait de plus en plus rude, trop rude pour les brodeurs aux pieds agiles, aux déhanchements subtils, aux chorégraphies précieuses. On en revenait à l'esprit de la cour de récréation : les costauds en défense et les petits – moi, évidemment – aux ailes avant, c'est-à-dire celui qu'on coince sur la ligne de touche face au gros justement. Où tu comprends bien que la lutte est inégale du petit virevoltant et du gros bousculant. Toujours la même vieille histoire, Gyf. Il suffit de se rappeler la fabuleuse bataille navale qui opposa dans le golfe du Morbihan les voiliers vénètes aux galères romaines. Or qui gagne, je te le demande ? Et le responsable de cette tragédie ? César ? Non, le vent, le vent qui n'en finit pas de souffler ici, au bord de l'océan, et qui comme un fait exprès ce soir-là fit faux bond, même s'il lui arrive, c'est vrai, de tomber avec le jour, mais ce n'était pas le jour justement, et alors que l'issue de la bataille semblait tourner en faveur des marins d'Atlantique, soudain plus un souffle, les voiles qui faseyent et pendent comme des outres vides, stoppant net le ballet des insectes toilés qui un instant auparavant faisaient encore tourner en bourrique les puissantes galères, s'amusant à les frôler, décochant au passage une bordée de flèches avant de s'envoler sur le dos d'une risée. Et tandis que les gens d'Armorique scrutent en vain le ciel immobile, on entend déjà la cadence féroce des rames qui hachent le miroir de l'eau, traçant une voie directe jusqu'aux sinagots encalminés entre les îles. Tu comprends que ceux-là se moquaient bien de leurs dieux, qui, plutôt que d'implorer Eole, comptaient d'abord sur la seule force de leurs bras. Mais, à partir de là, tout est dit. Encore un peu, le temps que les hommes de Rome lancent leurs grappins et arriment bord à bord les embarcations rivales, encore un peu, cette lutte au corps à corps sur ces rings improvisés opposant d'un côté le métier des armes et de l'autre la science des vents et des courants, encore un peu d'indécision où l'on feint de croire que la partie n'est pas perdue, mais quand le soir tombe sur les eaux dormantes retirées vers le grand menhir de Loc Mariaquer, alors qu'une pluie fine baigne le front des vaincus gisants sur les vases bleues souillées de flaques roses et que monte dans la nuit océane la clameur des légionnaires, c'en est fini de la fière indépendance des marins d'Atlantique. De là on sait ce qu'il advint : les bains chauds, le glaive court et les déclinaisons latines – rosa, la rose, Gyf, pas besoin de te faire un dessin. Mais c'est râlant, tout de même. Toujours la force méthodique, organisée, l'emporte, ne laissant aux chevau-légers que de maigres victoires sans conséquences, provisoires, moins des victoires, au vrai, que des effets de style, des entrechats.

Gyf n'était pas persuadé d'avoir tout saisi, et en quoi la défaite des Vénètes influait sur ma réticence à reprendre du service sur les terrains, ou peut-être avais-je voulu démontrer que les victoires des joueurs italiens dans les différentes compétitions européennes et mondiales avaient une origine lointaine, mais, comme la perspective d'un divertissement même pitoyable à mes sombres dimanches me faisait hésiter à repousser de prime abord sa proposition, il sut trouver le bon argument pour vaincre ma résistance. Comme je rechignais à me plier aux formalités, il m'assura qu'il se chargeait de tout, des signatures et autres faux médicaux, qu'il avait seulement besoin de deux photos d'identité pour lesquelles il ne pouvait me remplacer (et tant mieux, car les lunettes de Gyf). Mais en procédant de la sorte on obtient à peu près ce qu'on veut de moi, comme par exemple me faire endosser le maillot vert à col bleu de l'Amicale Logréenne (grâce à quoi nous étions salués par des coin-coin sonores quand nous entrions sur le terrain), sans l'avoir vraiment voulu, faute de mieux, comme un pauvre remède à ma solitude.

Sur la foi de mes exploits passés, Gyf m'avait annoncé comme le sauveur qui allait propulser les Canards logréens vers la division supérieure, si bien que pour mes débuts l'assistance avait doublé, mais comme on passe de quatre à huit. Déjà les premiers commentaires à mi-voix, les mines circonspectes du quarteron des connaisseurs, ne laissaient pas percer un franc enthousiasme : sans vouloir préjuger de ses dons, ne serait-il pas un peu fluet, le messie ? Quand il a le ballon, c'est-à-dire une fois qu'on l'a servi sur un plateau, ce n'est pas qu'il ne sache pas quoi en faire, sans doute pour le cirque serait-il parfait, mais toutes ses jongleries ne mènent pas à grand-chose, sinon à redonner la balle à l'adversaire, et ceci vraisemblablement dans la grande tradition évangélique où, plutôt que de rendre coup pour coup, on préfère tendre l'autre joue, mais là, ce n'est pas le but tout de même, le but c'est le but. Où est-il, l'annoncé qui devait rebâtir en trois tours à sa façon le temple glorieux des exploits de l'Amicale ?

Gyf en avait trop fait, trop dit. La déception était à la mesure de l'espérance qu'il avait soulevée. Mais on considéra qu'il fallait me laisser un peu de temps, le temps de m'acclimater, de découvrir mes partenaires, et de me familiariser avec leur méthode de jeu. On me donna donc une seconde chance le dimanche suivant. Mais ce ne fut guère plus probant, en dépit de Gyf qui s'était démené comme un beau diable, courant aux quatre coins du terrain, ses cheveux longs flottant derrière lui ou tourbillonnant devant ses yeux, pour m'offrir le plus de ballons possible, me livrant du même coup à la vindicte de nos camarades qui se lamentaient de toutes ces bonnes occasions gâchées par ma propension à jouer seul.

En même temps, c'était curieux de constater à quel point Gyf n'avait pas changé. Il jouait déjà de cette manière à Saint-Cosmes, inépuisable, et ce qui nous amusait alors, son côté mouche du coche toujours en mouvement, adepte des causes perdues ou désespérées – comme de sprinter après une balle dont chacun sait qu'elle va sortir –, se révélait maintenant extrêmement payant, et c'est moi, le jongleur d'autrefois, qui devenais la risée, si bien que je dus le consoler quand on m'avisa que je devrais désormais faire mes preuves dans l'équipe réserve, comme si par ce souvenir trahi venaient de s'envoler ses dernières bribes d'enfance.

Du coup je perdis mon chauffeur, lequel ne pouvait plus passer me prendre, les deux équipes jouant séparément, et c'est donc sur mon Vélosolex que je gagnais Logrée. De là, si nous jouions à l'extérieur, j'embarquais dans la voiture d'un joueur ou d'un accompagnateur, renouant avec de vieilles habitudes que je m'étais plu à croire disparues. J'étais toujours celui-là, le sans-père, le démuni, qui dépendait du bon vouloir des autres.

Nous étions deux à n'avoir pas le permis de conduire, à attendre près du café des Sports qu'on veuille bien nous emporter : La Fouine, petit homme à peu près demeuré, et moi. Cette appartenance à la même confrérie des inaptes à la modernité nous rapprochaient par la force des choses – y aurait-il de la place pour les deux idiots ? D'ailleurs lui l'était d'une manière presque officielle. S'il ne conduisait pas il avait au moins des excuses, ne sachant ni lire ni écrire, ou si peu, de sorte qu'il attendait confirmation avant d'entrer dans le vestiaire réservé à son équipe, de crainte de déposer chez l'adversaire les deux ballons dont il était responsable.

C'était tout le sel de sa vie, ces deux ballons. Alors qu'ils n'en avaient plus besoin, le cuir étant plastifié, il les emportait chez lui pour les enduire d'un produit quelconque, si bien qu'ils brillaient comme des soleils dans le filet qu'il portait sur son dos, ce qui lui faisait une silhouette de petit bossu quand il les couvrait d'un grand capuchon vert qui lui tombait aux pieds. Car il ne devait pas dépasser un mètre quarante, et son poids à l'avenant. Quand je lui demandai s'il avait un prénom, parce que ça me gênait de l'appeler par son sobriquet, il refusa tout net, insistant, moi c'est La Fouine, depuis tout petit, La Fouine, La Fouine par-ci, La Fouine par-là, hi hi, tout le monde connaît La Fouine, hi hi, et alors il se faisait plus petit encore, rentrant la tête dans les épaules, pliant les genoux, comme s'il cherchait à démontrer qu'il pouvait se faufiler par le trou d'une souris, et donc, puisqu'il tenait à son surnom, je n'allais pas le contrarier, ce qui fait que le jour où il m'accompagna à Random, ma mère le salua d'un bonjour monsieur La Fouine qui le remplit d'aise. S'il vit toujours, c'est-à-dire s'il astique toujours ses deux ballons, il doit encore raconter l'histoire : tu te rends compte, monsieur La Fouine, hi hi, tout en serrant un imaginaire nœud de cravate pour se donner de la tenue, et il exhortait tel joueur à lui donner du monsieur La Fouine avant de lui passer les ballons, ce qui lui valait de se faire rabrouer deux fois plus que d'habitude, mais c'était bien le moins, au nom de notre confrérie, que je lui confie mon violon.

Il le garda serré contre lui durant tout le match debout sur le bord de touche, le défendant jalousement des curieux qui lui proposaient de le sortir de sa boîte afin de voir à quoi il ressemblait, le serrant plus fort encore contre lui comme une chose infiniment précieuse, comme un enfant tenu au chaud sous le pan de sa veste, et il serait mort sur place plutôt que de le lâcher. A ceux-là qui lui lançaient : alors, La Fouine quand est-ce que tu nous souffles dans ton instrument ? il répondait qu'eux n'avaient qu'à souffler dans le ballon, ou alors : dis donc, La Fouine, t'as emmené ta mitraillette pour voler la recette, et lui, pointant la boîte en direction de l'imprudent moqueur : t'as pas intérêt à approcher, sinon tactactactac. Ça lui donnait donc de l'importance et de l'esprit, et quand à la fin du match, après mon but victorieux, il agrippa de sa main libre mon épaule douloureuse, il était la joie même avec ses épis dressés au sommet du crâne lui donnant un faux air de Stan Laurel : c'est le violon qui t'as porté chance, hi hi, t'as bien fait de me le confier, hi hi, c'est le violon, et glissant la boîte presque aussi grande que lui sous le menton, il entreprit de danser une espèce de gigue, décollant alternativement ses courtes jambes comme un pantin, avançant de quelques pas, puis reculant d'autant, tout en dodelinant de la tête : faudra que tu le ramènes tous les dimanches, on va les faire danser, hi hi, ils vont voir ce qu'ils vont voir, tout en arrosant le terrain d'une salve imaginaire.

II

Sans Gyf, on ne m'aurait sans doute jamais revu sur les terrains. Ces retours sont improbables et n'annoncent rien de bon. A de rares exceptions – Racine peut-être, douze ans après Phèdre, mais en catimini, chez les demoiselles de Saint-Cyr. Sans Gyf et la solitude des dimanches. Car on a beau faire, le dimanche est presque toujours décevant, à se demander si dès le départ il n'y aurait pas un vice de forme, si ça ne cacherait pas quelque chose, ce repos offert après six jours de labeur forcené. D'où l'aphorisme gyfien : quand le patronat propose ce genre de cadeau, les cadences infernales ne sont jamais loin.

En semaine, vu du pensionnat, on l'attendait pourtant comme une promesse de salut. La sonnerie électrique qui rythmait la vie du collège – début et fin des cours, récréations, repas, coucher – ne donnait le signal de la délivrance que le samedi à cinq heures. Et pas question de se relâcher avant sous prétexte qu'on commençait à entrevoir le bout du tunnel. Certains enseignants prenaient même un vif plaisir après la sonnerie à jouer les prolongations. Et gare à celui qui par un soupir prononcé, une toux ou la simple

consultation de sa montre s'avisait de signaler un dépasse-
ment d'horaire. La sanction tombait, immédiate : devoir
pour l'inconvenant et dix minutes de rallonge pour tout le
monde – ce qui voulait dire le risque pour certains de rater
le car et pour d'autres le bac qui faisait la navette entre les
rives de l'estuaire (ceux-là surveillaient en plus avec inquié-
tude l'état de la mer, les jours de tempête, dont dépendait
la traversée).

Gyf, qui était le plus insolent, et donc le plus courageux,
devant ce retard répété, finit un jour par boucler ostensiblement son cartable et, bravant les foudres professorales,
se leva et sortit en claquant la porte. Bien sûr, il se savait
déjà renvoyé pour la fin de l'année scolaire (il ne fit que la
sixième à Saint-Cosmes), mais c'était époustouflant de
panache. Et de drôlerie aussi. Car avant de claquer la porte
il lançait à travers la classe un avion de papier sur lequel
était écrit quelque chose comme merde à celui qui le lira
– ce que ne manqua pas de faire l'autorité principale après
avoir confisqué et déplié ledit avion. Face à lui, trente têtes
terrorisées à l'idée de ne pouvoir se retenir d'éclater de rire.
Que voulez-vous qu'il fît ? Nous en reprîmes pour dix
minutes.

Raison pour laquelle on se méfiait des coups d'éclat de
Gyf. Avant d'applaudir, on attendait qu'on nous ait pré-
senté l'addition collective. Ce n'était pas faire preuve d'une
grande solidarité à son égard, mais on était tellement saou-
lés de brimades en tous genres qu'on évitait d'en rajouter.

Et puis on se disait qu'il avait trouvé là son rôle, qu'il en jouait, en tirait du prestige, un beau rôle en dépit des risques, flatteur et redouté. Cette figure de héros, de Mandrin des collèges, avait bien sûr son prix, les coups qu'il prenait, parfois physiques (il supportait sans ciller les gifles, et bien mieux que ses lunettes qui, à la longue, un modèle intégralement remboursé par la Sécurité sociale, peu esthétique, présentait une curieuse asymétrie, le verre gauche enfoncé dans l'orbite comme un monocle), mais c'était somme toute plus enviable que de se retrouver dans la peau d'un petit garçon tremblotant, craintif au point, quand le sort l'envoyait au tableau, d'implorer le ciel et d'embrasser en douce, en faisant semblant d'atténuer une toux au creux de la main, la médaille de baptême qui pendait à son cou.

Lequel tableau était vert, ce qui donnait une note moderne bien dans le ton des bâtiments jumeaux du collège – hautes façades bétonnées de couleur crème, larges ouvertures, pignons en demi-cercle, toits-terrasses – encadrant le petit pavillon de plain-pied, percé en son centre d'un porche rectangulaire fermé par une grille verte qui tenait lieu de conciergerie et constituait l'entrée principale. Architecture d'après guerre, la même à Saint-Nazaire, Le Havre, Brest, Royan, Lorient, les ports sinistrés reconstruits de toutes pièces avec leurs avenues rectilignes où s'engouffre le vent. Saint-Cosmes, s'élevant en bordure de mer, prenait ainsi des airs de villégiature pour collégiens dorés. Ce qui nous empêchait de nous plaindre : difficile

45

d'expliquer dans de telles conditions qu'à l'intérieur des mentalités d'un autre siècle avaient survécu aux bombardements anglo-américains.

Le tableau noir a un côté obscurantiste, borné, manichéen, au lieu que ce rectangle printanier accroché au mur près du bureau, au-dessus de l'estrade, semblait autoriser quelques libertés avec la loi, par exemple que la somme des angles d'un triangle fût plus ou moins égale à deux droits. Or c'est ce plus ou moins, cette indécision coupable, qui nous valait les pires humiliations. Si la réponse ne tombait pas, rapide et juste, s'engageait alors un jeu cruel où nous comprenions très vite qui faisait le chat et qui la souris. Pendant que la souris – moi, puisqu'il faut une victime –, apeurée, le front plissé, la craie en suspens, réfléchissait, s'ingéniant à empiler les angles fictifs d'un triangle démonté, tout en considérant qu'un angle étant plus ou moins grand, trois angles plus ou moins grands font un total plus ou moins grand, le chat – mais on pourrait l'appeler monsieur Fraslin – perdant patience, s'emparait du grand compas de bois à l'usage du tableau et, au lieu d'en remplacer la craie souvent usée, engoncée dans une pince métallique en cuivre cernée d'une bague coulissante, testait ostensiblement du bout de l'index l'aigu de la pointe.

Cette fois pourtant il ne s'agissait pas de tracer un cercle, mais plutôt d'une question, de la question au sens où on l'entendait dans les geôles du Moyen Age, c'est-à-dire que l'inquisiteur Fraslin –, un des rares civils de cette ménagerie en soutanes, longue mèche brune retombant sur le front qu'il rejetait en arrière d'un mouvement nerveux de la tête, regard en dessous, longiligne, osseux, pantalon tirebouchonnant sur les talons – sortait un briquet de sa poche, l'enflammait, en approchait la pointe du compas déployé, la chauffait minutieusement en la tournant et la retournant comme une broche, et, maintenant que les germes pathogènes étaient anéantis, que tout risque d'infection était écarté, armé de cette lance aseptique il s'amusait à piquer le bas du dos du mathématicien récalcitrant sans qu'on sût s'il sanctionnait son ignorance ou tentait de la sorte d'aiguillonner son esprit.

Opération moins douloureuse que gênante au vrai, mais vraiment gênante, sous les rires des semblables qui imaginaient ainsi se faire bien voir, échapper peut-être au prochain massacre – comme si leur tour ne viendrait pas. Les pensées de plus en plus embrouillées, entièrement tendues vers le prochain assaut, vous faisiez semblant de réfléchir en regardant à travers les larges fenêtres derrière lesquelles de grands oiseaux blancs aux ailes argentées planaient insouciants et libres, jouaient dans le vent, poussaient de petits cris excités, surfaient sur les courants d'air, s'élevaient à la faveur d'un flux ascendant, s'immobilisant soudain, plumes vibrantes en équilibre sur le fond bleu du ciel, puis, l'aile inclinée, partaient en glissade avant de disparaître du cadre de la fenêtre, laissant le grand ciel profond sans solution. Alors en dernier recours vous interrogiez du regard les camarades assis, les infortunés rieurs, tentant de lire sur les lèvres d'un omniscient une ébauche de réponse, mais ils avaient trop peur eux aussi, et Gyf sans doute ne devait pas savoir.

A ce point d'abandon il n'y avait plus qu'à écrire sur le tableau un chiffre hasardeux, aussitôt désapprouvé par la pointe du compas. Pourquoi pas 1515 ? dit le picador, joignant le geste à la parole. Vous effacez précipitamment l'erreur à la brosse en feutre en soulevant un nuage de craie. Soudain, une éclaircie : si tout triangle est inscriptible dans un cercle, la somme de ses angles doit être inférieure à 360 °. Ne pas se tromper en utilisant le signe d'inégalité – un V couché. Rappelez-vous : le plus petit mange le plus grand. Voilà qui est bien raisonné. Inattaquable ? Pas vraiment. La pique est si vive cette fois que vous en donnez de la tête contre le tableau. Hilarité générale. Et ça vous fait rire ? Tous les exercices de la page 127 à rendre pour demain. Bien fait, pensez-vous. Pas tout à fait. Pour vous, en plus, cent fois à recopier : la somme des angles d'un triangle est égale à deux droits.

Ces titillements vexatoires n'étaient pas pour Gyf, qui, eu égard à son rang et à ses états de service, bénéficiait d'un traitement de faveur, à la fois plus indulgent et plus violent. C'était justice, car honnêtement nous ne supportions pas la comparaison. Quand du haut de ses douze ou treize ans il toisait avec insolence les sommités de l'établissement, nous devions nous contenter, dans la catégorie actes de résistance, d'une esquisse de grimace dans le dos d'un surveillant, et encore, main sur la bouche et tête baissée. Et si celui-là, fine mouche, subodorant quelque chose, se retournait précipitamment pour surprendre en flagrant délit l'apprenti rebelle, nous nous empressions, avant même toute remarque, de préciser : j'ai rien fait, m'sieur, ou mieux : c'est pas moi, m'sieur, du plus bel effet. Ce qui n'a l'air de rien, voire de pas grand-chose, mais nous permettait, cette intervention, aussi timorée fût-elle, de ne pas rester bouche bée devant les exploits de Gyf, d'avoir aussi notre mot à dire, partant du principe que tout se vaut, que nous avions autant que lui fait preuve de courage, dans la mesure de nos moyens, s'entend, et que de toute façon c'est l'intention qui compte.

Dès lors nous avions le front de l'interrompre au beau milieu de son récit sur le mode : moi, c'est pareil. Avait-il dessiné zéro plus zéro égale la tête à Toto sur le tableau (une tête stylisée à l'extrême, où les deux zéros représentent les yeux, le signe plus le nez et celui d'égalité la bouche, le tout inscrit dans un cercle), Moi-c'est-pareil avait dérobé un morceau de craie tombé à terre, en le poussant, à la sortie du cours, du bout du pied jusqu'au seuil de la porte, et là s'était penché pour le ramasser sous prétexte de boucler son cartable, ce qui impliquait un double risque : un, d'être repéré, avec les conséquences terribles que tu sais, deux, d'écraser la craie, d'où l'importance du dribble et l'avantage d'un toucher de balle subtil dont tout le monde ne peut se prévaloir (Gyf, sa spécialité sur un terrain, c'est de courir après toutes les balles, inépuisable mais technique limitée), tu ne veux pas me croire ? (Il ne veut rien, ne dit rien, simplement estomaqué par cette grenouille bovoïde bien moins faraude devant les sommités), eh bien regarde, et le morceau de craie, sorti de la poche au milieu d'un mouchoir taché d'encre et de quelques sucres, est exhibé comme une pièce à conviction sous son nez. Ça t'épate, hein ?

Après l'extinction à vingt heures trente des plafonniers – des globes blancs semblables à ceux du magasin familial –, il n'était pas rare que le seul à n'être pas couché fût

Gyf, à genoux sur le carrelage froid du dortoir endormi, face au mur, à proximité du surveillant dont on apercevait la silhouette en ombre chinoise à travers les rideaux crème de son garni de toile. Assis à sa table, lisant sous le dôme volontairement tamisé, pour ne pas gêner les dormeurs, de sa lampe de chevet (ce qui ne laissait pas, cette attitude, de nous interroger : mais comment pouvait-il étudier à côté d'un enfant souffrant, humilié), l'homme de garde prenait un visible plaisir à faire accroire qu'il avait des yeux derrière la tête et à reprendre l'agenouillé à chaque fois que celui-ci tentait en douce de s'asseoir sur ses talons, de sorte qu'on pouvait penser qu'il faisait seulement semblant d'être absorbé par sa lecture et que ses études le passionnaient moins que ce pouvoir discrétionnaire. Et donc Gyf avait-il, deux heures durant, à genoux, enduré la cruauté de l'autre, en manifestant parfois, ce qui impliquait une prolongation automatique de son supplice, que, profitant de la pénombre (car la nuit du dortoir est une nuit claire, et, même après que le Cerbère a éteint sa veilleuse, les lampadaires du bord de mer déversant un éclairage lunaire qui s'infiltre entre les lourds rideaux verts imparfaitement tirés), Moi-c'est-pareil n'avait pas hésité à adresser un pied-de-nez vengeur, la tête sous les draps, il est vrai, au cruel surveillant afin d'exprimer clairement son désaccord avec la sanction qui frappait son camarade. Et Gyf, tenu de se montrer reconnaissant pour cette héroïque manifestation de soutien, d'admettre que cette résistance obscure avait

51

incité le surveillant tortionnaire à le renvoyer, deux heures plus tard, dans son lit.

Il accumulait ainsi sur sa tête, sans paraître s'en émouvoir, les heures de retenue, les lignes au kilomètre (vous me ferez cent lignes, qu'il faisait rarement), les mises à la porte de la classe (on n'était jamais sûr de le retrouver au moment de le réintégrer), les visites au préfet de discipline (surnommé Juju et qui n'était pas le pire de la bande en dépit d'un air sévère qu'il devait surtout à un œil droit baladeur, toujours à lorgner les mouettes pendant que l'autre vous semonçait, si bien qu'il vous arrivait de vous demander ce qu'avait bien pu faire de répréhensible cette mouette rieuse au bec rouge et à la tête encapuchonnée de brun comme le bourreau de Béthune pour mériter deux heures de retenue – son cri moqueur mal interprété, sans doute – mais bientôt l'injustice est réparée, tu m'écoutes quand je te parle, la mouette est innocente, c'est bien vous le coupable) sans oublier, outre les brimades, les privations de sortie le dimanche dont il affectait de se ficher étant un enfant adopté ou peut-être même seulement placé dans une famille d'accueil. Mais son endurance impressionnait ses persécuteurs, lesquels, compte tenu aussi de sa situation familiale, faisait parfois preuve avec lui d'une surprenante mansuétude.

Dans cet univers quasi monastique, le silence était bien entendu la règle en dehors de la cour de récréation et du réfectoire – mais là encore fallait-il attendre le bénédicité, une sorte, en français, Seigneur bénissez ce repas que nous allons prendre, à quoi debout derrière nos chaises, bras croisés, mines prétendument recueillies, nous répondions amen, et Gyf, d'la merde (il faut reconnaître, en dehors de l'aspect blasphématoire, que la nourriture n'était pas fameuse), avant que d'un claquement de mains énergique ledit Juju autorise les mouettes, mais dans le doute on le prenait pour nous aussi, à s'asseoir et à ouvrir leur caquet. Pas trop fort, non plus. Le spectre du chahut avec projections de fromage blanc, jets de purée et autres lancers, que nous nous contentions d'ébaucher, la cuiller pleine transformée en trébuchet, visant un camarade ou le globe du plafond, tandis que le majeur en appui sur le bord de la cuiller faisait office de clapet de sécurité, impliquait une vigilance aiguë et de fréquents rappels à l'ordre dès que le niveau sonore, répercuté par les larges baies vitrées et le sol carrelé, virait au brouhaha. Un nouveau claquement de

53

mains plus véhément encore que le premier nous incitait à baisser le ton, voire, en cas de récidive, nous condamnait au silence jusqu'à la fin du repas dans un cliquetis de fourchettes et de couteaux, d'assiettes entrechoquées et de verres reposés. Curieusement, ce n'était pas Gyf qui dans cette atmosphère cistercienne ne manquait jamais de puissamment roter, mais un modèle de discrétion d'ordinaire qui trouvait là un terrain à sa convenance pour sa formidable capacité à produire ce type de son à la demande. Rire collectif et libérateur d'autant plus assuré qu'au réfectoire nous ne craignions pas les mesures de rétorsion groupées. Seul le bruiteur depuis longtemps repéré écopait des cent lignes rituelles, je ne me livrerai plus à ce genre d'incongruités, lequel rétorquait à chaque fois, et toutes les radios le démontraient, qu'il souffrait d'aérophagie. Et il s'empressait de soulever sa chemise pour exhiber sa fameuse poche d'air source de tous ses maux, mais ce n'était pas ce qu'on lui demandait, plutôt de mettre la main devant sa bouche, et donc les cent lignes étaient doublées. Pour ce moment de gloire, c'était presque donné.

En cours, ce genre de manifestation était impensable. Quant à ouvrir la bouche, il fallait attendre d'y être invité par l'autorité compétente – ce qui était rarement bon signe. On n'interrogeait jamais celui qui était censé savoir – s'il sait, à quoi bon le lui demander ? Et c'est justement ce qui le tracasse, celui-là, toujours le même, cette connaissance dont il n'arrive pas à faire l'étalage en public, dont il attend autre chose qu'en tête de copie une appréciation louangeuse mais à des fins personnelles, presque intimes, quand il aimerait que ça se claironne davantage, cette supériorité manifeste. Ce qui fait qu'il s'oublie parfois à lever un bras, impatient d'apporter la bonne réponse, et si exaspéré par l'inculture de son voisin qu'il en vient à claquer des doigts : un frottement sec du pouce contre le majeur destiné à attirer l'attention sur lui, au lieu qu'il devrait savoir, le malheureux, que c'est par un fait exprès, tout exprès, que l'autorité du haut de l'estrade ostensiblement l'ignore. Si bien que cette insistance, ce claquement sonore, finit par lui porter préjudice. Perdant ainsi tout le bénéfice de son savoir, le voilà comme un vulgaire cancre convié à copier cent fois : on ne claque pas des doigts en classe, à tous les modes, à tous les temps, ce qui d'ailleurs ne devrait pas lui poser de problèmes particuliers tant il brille dans toutes les matières, et donc en grammaire, et même, ce qui est injuste, en sport. Mais ce qu'il paye au fond, ce sont ses bonnes notes à répétition, la sanction visant à gommer tout soupçon de favoritisme.

Si celui qui sait on veille à ne pas l'interroger, c'est donc pour interroger celui dont on sait, à moins d'un hasard improbable, qu'il ne saura pas. Lequel le sait tellement qu'il cherche à se faire tout petit dans le dos d'un camarade, s'écrasant sur la tablette relevable de son bureau, espérant en une isochromie miraculeuse qui le ferait se confondre avec le bois, tandis que l'autorité balaie du regard l'ensemble de la classe à la recherche d'une victime de choix, bien ignorante, à point, sans songer un instant que cette ignorance lui revient peut-être en partie. Comme il s'attarde maintenant sur la partie droite des bancs où vous n'êtes pas, vous éprouvez sur le coup un vif soulagement, plein de compassion pour le pauvre élu de l'autre côté de l'allée centrale, mais après tout autant que ce soit lui que vous. A chacun son tour. Mais soudain le bras tendu de l'autorité se désolidarise de l'axe de son regard, ouvrant avec sa ligne de vision un angle de plus en plus ouvert, et l'index pointé, comme autonome, s'arrête brutalement sur vous, bientôt rattrapé par un sourire de ladite autorité tournant à retardement la tête, ravie que sa ruse grossière ait encore une fois marché.

Mais il s'agit bien de vous, et bien entendu à la question vous n'avez à opposer qu'un esprit englué dans des réflexions sur l'extraordinaire malchance qui vous accable, qu'un silence hébété. Il vous semble même comprendre que l'autre (Fraslin, disons, étant donné la liste de ses méfaits il n'y aurait rien de scandaleux à lui faire porter le chapeau) cherche maintenant à vous ridiculiser tout à fait en vous incitant à répondre à une question parfaitement stupide du genre : si l'homme descend du singe et que le singe descend du cocotier, on en conclut syllogiquement que l'homme descend du ? Allons, du quoi ? Du cocoquoi ? Et la réponse suscitée tombe comme on donne sa tête à couper : du cocotier. Bravo, triple idiot, quadruple andouille, quintuple buse, cent milliards de fois à recopier : et moi je descends de l'âne, à tous les modes, tous les temps, toutes les personnes, dans toutes les langues, afin de révéler au monde entier que le plus haut sommet de la bêtise culmine à quelques mètres au-dessus du niveau de la mer, au collège Saint-Cosmes, Saint-Nazaire, Loire-Atlantique, Bretagne, France, Europe, Terre, Système solaire, Voie lactée, Univers.

L'enseignement religieux était comme de juste une matière sensible dans ce monde de soutanes (une correction cependant : certains, dont le surnommé Juju, avait depuis peu tombé la longue robe noire – souvent trop courte, découvrant de lourds godillots, et marquée à la taille par une ceinture abdominale destinée, semble-t-il, à y glisser les pouces – pour adopter un strict costume de clergyman gris foncé, chemise noire, col montant blanc, dernier vestige du précédent uniforme, et une petite croix d'argent épinglée au revers de la veste afin qu'on ne les confonde pas avec le tout-venant des élégants – mais, ainsi vêtus, ayant retrouvé forme humaine, ils pouvaient sérieusement commencer à envisager de convoler un jour en justes noces).

Il était question du mystère de la Trinité, un des dogmes fondamentaux, à savoir la règle du trois (le Père, le Fils et le Saint-Esprit) en un (Dieu), qui avait donné lieu à de beaux échanges aux conciles de Nicée et de Constantinople, les uns et les autres s'étripant autour de la consubstantialité du Fils avec le Père (« engendré, non créé »), débat que

Gyf régla à sa manière en déclarant abruptement, sans qu'on l'eût sollicité, que c'était le Tiercé gagnant. Une stupeur métaphysique gagna les rangs de la classe. Des anges passaient, repassaient, se télescopaient dans un bruyant silence. Chacun s'attendait à ce que le sol s'ouvrît, que le ciel déversât une pluie de feu sur la tête du blasphémateur, que le magistère armât d'un foudre terrible son bras qui d'éclairs rougissait. Mais le doux Juju, un œil vers le sol et l'autre sur Gyf, le doux Juju, parce qu'il fallait bien qu'il fût doux quand il aurait pu crucifier l'intervenant, se contenta d'une voix grave de préciser qu'on ne plaisantait pas avec ces choses-là, puis savamment entreprit de distinguer parmi les négateurs de la consubstantialité les homoiousiens (substance semblable mais non identique – ce qui n'était pas en soi très éclairant), homéens (similitude non substantielle – guère plus) et anoméens (résumons : le Père c'est le père et le Fils ce n'est pas le père).

Mais on finissait par s'habituer aux incartades de Gyf. On comptait tellement sur lui qu'on attendait sans bouger, en spectateur, sa réaction. Confrontés à une situation délicate, une injustice flagrante ou une scène cocasse, on se disait : que va faire Gyf ? Et parfois Gyf ne faisait rien, indifférent, presque un autre, comme s'il semblait soudain lassé de porter à lui seul sur ses épaules le fardeau de la rébellion. Par exemple ces jours où il se montrait étonnamment studieux, attentif, levant le bras pour répondre aux questions, heureux de recevoir un brevet de bonne conduite, désolé d'une mauvaise réponse de laquelle, au vu de ses efforts, il n'eût pas été charitable de se moquer, si bien que l'autorité, afin de ne pas décourager cette fraîche bonne volonté, prenait sur lui de la considérer comme pratiquement bonne, ce qui atténuait le désarroi de l'ex-insoumis. Dans ces moments-là, on pouvait presque croire au miracle d'un Gyf repenti. Mais la conversion paraissait si précaire, si fragile, qu'on n'était pas trop de toute la classe pour, dans la crainte d'une rechute, l'encourager dans sa nouvelle voie. On se mettait à son diapason, et c'est alors trente élèves exemplaires qui s'intéressaient au sort de rosa, la rose, dans le jardin de la villa d'Hadrien.

Et le professeur de latin de demander à Georges-Yves (son nom de famille était François ou quelque chose dans ce genre, d'où Gyf en abrégé) comment il se faisait qu'on ait un datif au lieu d'un ablatif, et Georges-Yves savait-il le nom du golfe où avait eu lieu la célèbre bataille navale entre les Romains et les Vénètes, et Georges-Yves saurait certainement nous dire ce que martelait devant les sénateurs le vindicatif Caton ? Delenda est ? Allons, Georges-Yves, delenda est ? Et soudain en guise de réponse on entendait un meuglement de vache surgi d'une petite boîte métallique cylindrique qu'il suffisait de retourner. Georges-Yves, apportez-moi ça tout de suite.

En fait, la joie, la formidable explosion de joie qui ponctuait la fin de la semaine à Saint-Cosmes, était de courte durée : le temps de se précipiter vers la sortie, et une fois à bonne distance du collège de reprendre son souffle en marquant, sac à terre, une pause sur le trottoir, face à la mer. Ensuite tout allait trop vite : une heure et plus de car, avec arrêt devant les chantiers navals et dépôt des ouvriers dans chaque village, avant d'arriver chez soi, traîner un peu le soir, se coucher délicieusement dans son lit, et au réveil, l'esprit déjà parasité par l'angoisse du retour, c'était fini.

Les équipes de jeunes jouant traditionnellement le dimanche matin, l'après-midi on s'arc-boutait sur les heures pour qu'elles ne coulent pas trop vite, ce qui consistait principalement à suivre la pendule de la cuisine dans son compte à rebours fatal tout en faisant les devoirs, en jouant aux cartes ou, plus tard, en regardant la totalité de ce qu'il y avait à voir à la télévision, interludes compris – un petit train rébus incrusté dans des paysages filmés. Mais avant même l'heure venue de préparer ses affaires de la semaine on était déjà malade à l'idée de retrouver dès le lendemain le collège. Le dimanche soir est insauvable.

Longtemps l'unique sortie dominicale, qui finit par constituer un but de promenade, fut consacrée à la visite de la tombe paternelle. Le cimetière se tenant à l'écart du bourg, comme souvent depuis qu'on a déménagé les morts du pourtour des églises, la marche vous devient ainsi familière, dont vous prendrez l'habitude par la force des choses, le seul conducteur de la famille reposant maintenant sous sa dalle de granit gris. La distance n'est pas considérable au vrai, mais à onze ans on évolue encore à l'échelle de l'enfance et quelques centaines de mètres prennent l'allure d'une randonnée.

Vous devenez ainsi à votre insu une sorte de spécialiste du domaine mortuaire. Dès qu'il est question de décès, d'inhumation, de deuil, de cimetière, de perte irrémédiable, de chagrin inconsolable, de regrets éternels, vous tendez l'oreille : c'est pour vous. Vous avez votre mot à dire. Pour dire quoi ? Rien, au fait, mais prendre cet air entendu de celui qui sait. Qui sait quoi ? Que ces choses-là arrivent. Mais du coup vous évoluez dans cette ombre portée comme un poisson dans l'eau. Plus tard vous vous en mordrez les doigts car, à force de jouer au grand manitou thanatologue, c'est toujours à vous, dans des circonstances pénibles, qu'on s'adressera pour rédiger des messages de consolation. Pour l'heure, cette façon d'enfoncer supérieurement les portes ouvertes, c'est tout ce que vous avez trouvé pour faire passer que ces choses qui arrivent, eh bien, elles vous sont à vous arrivées, enfin pas directement à vous, sinon vous ne seriez pas là pour témoigner, mais à un proche, tellement proche, si peu démêlable de vous-même que vous laissez entendre qu'une partie de vous s'en est allée aussi. Et, bien que vous en repoussiez farouchement l'idée, c'est votre pauvre façon de quémander de la pitié.

Ainsi, quand un sujet de rédaction vous demandera de raconter un dimanche à la campagne, après avoir longuement réfléchi, le crayon dans la bouche et les yeux dans le vague, éliminé les sujets bateaux (je bricole avec grand-père, pêche à la ligne avec grand-mère, déniche les nids avec les cousines), ce sera comme une illumination, une sorte de jeu de la vérité prenant à contrepied toutes ces fables racontées par des écoliers à la peine, et vous sauterez sur l'occasion pour vous lancer dans le récit méticuleux de vos visites au cimetière.

Tout y était. D'abord le trajet, qui emprunte la rue principale qu'on appelle ici la route de Paris, appellation un tantinet pompeuse, destinée à nous parer des lumières lointaines de la capitale, et abusive étant donné l'étroitesse de la chaussée (à son point d'engorgement à la sortie de la place, il fallut abattre une maison d'angle à demi ruinée pour décoincer la première-moissonneuse-batteuse, un engin gigantesque pour l'époque, à avoir tenté de forcer le passage). La chaussée perdant ses trottoirs à la sortie du bourg (non par une décision communale brutale

mais comme un fleuve se perd dans les sables, par abandon des bordures puis morcellement et disparition du
revêtement de ciment), nous progressions tous les quatre
sur la bande herbeuse, en file indienne, afin de ne pas
être happés par les voitures et le souffle des camions sur-
gissant dans notre dos, un numéro d'équilibriste entre
bitume et fossé qui n'était pas commode, surtout pour
les petits talons de maman, laquelle, bien qu'ayant adopté
la tenue noire des veuves et maints signes de renonce-
ment, ne se résolut jamais à marcher à plat, d'où cette
démarche trottinante, jamais en repos, toujours pressée,
qui demeure sa marque.

Passé le grand virage en descente, on découvrait le mur
d'enceinte en pierres schisteuses, avec ses plantes adven-
tices sur le faîte : herbes folles, coquelicots et giroflées.
Quelques croix dépassent, dont celle dominante de la chapelle, entourée de cyprès, des aristocrates locaux, les seuls
morts, en cas de résurrection inopinée, assurés de rester à
couvert s'il pleut ce jour-là. La grille d'entrée en fer forgé
noir, hérissée de pointes de lances dorées, demeurait fermée. Elle ne s'ouvrait que pour le passage des convois, obligeant les visiteurs à emprunter la petite porte de bois plein,
adjacente, entaillée dans le mur, avec son loquet récalcitrant
et ses gonds qui grincent, ce qui constituait, ce signal
sonore, une invitation au silence. Après quoi nous baissions
la voix et progressions sur la pointe des pieds pour étouf-
fer le crissement du gravier sous nos pas, lequel, comme la

neige, s'accumule sur les bords et aux endroits peu fréquentés, établissant ainsi une carte des visites.

Tous les types de sépultures étaient répertoriés : caveaux, dalles, monuments funéraires, sarcophages de pierre aux dates rongées par le temps (rescapés sans doute de l'ancien cimetière), simples buttes de terre pour les frais inhumés, fosse commune surmontée d'une petite abside voûtée en cul-de-four avec sa porte ouvrant sur un puits empli jusqu'à mi-hauteur d'os et de crânes, mais le plus répandu, parce que le plus modique, était l'encadrement standard, bordure de ciment gris délimitant un rectangle intérieur semé de sable ou de gravillon – gravillon blanc aux formes arrondies pour les tombes d'enfants, comme un parterre de dragées, provision de douceurs en vue du long voyage.

Il se trouve que nos visites au cimetière ne se résumaient pas uniquement à un pieux recueillement devant la tombe paternelle. Nous étions à la fois juge et partie, en somme, puisque la plupart des colifichets funéraires sous lesquels disparaissaient certaines sépultures provenaient de notre magasin : gerbes et couronnes de perles portant sur une bande de tissu lilas une inscription en lettres argentées, confectionnée par nos soins, chargée par le jeu subtil des termes de parenté de renseigner les passants sur les généreux donateurs (ce qui n'était pas sans nous poser des problèmes quand le gendre du beau-frère, par exemple, tenait à figurer sur la bande), plaques de marbre noir incitant à prier pour le salut du défunt, lequel pose parfois en médaillon sous un verre bombé comme une image péri-scopique projetée du fond de la tombe, boules de verre enfermant une vierge de Lourdes ou une composition style bouquet de la mariée, et bien sûr toute la gamme des fleurs en céramique au calice lie-de-vin délicatement orné d'éta-mines et de pistils tracés d'un coup de pinceau rapide, même si dans ce domaine de l'illusion celles-ci se trouvent maintenant concurrencées par l'apparition des fleurs en plastique dont nous aimons, à la pointe de la modernité, faire l'éloge.

Elles ne sont pour l'heure qu'imparfaitement ressem-blantes, mais l'argument de la persistance, que pour le prix d'un bouquet la tombe sera fleurie à l'année, fait qu'on se montre moins regardant, qu'on jure que c'est à s'y trom-per, qu'il ne manque que le parfum. Autre inconvénient, outre le fait qu'avec le temps et soumis aux intempéries la couleur passe et le plastique se révèle cassant, les variétés sont encore peu nombreuses et d'une sélection très clas-sique : roses, œillets, tulipes, pensées. C'est à peu près tout, mais cela suffit pour jouer à la fleuriste, tenir les fleurs dans une main, les permuter, les échanger, tordre les tiges métal-liques – ce qui représente un avantage sur les fleurs natu-relles – que l'on égalisera en sectionnant les pieds à la pince coupante, tendre le bras pour prendre un peu de recul et mieux juger de l'effet obtenu, tout en interrogeant de temps à autre du regard l'endeuillé aux yeux parfois pleins de larmes. Car à peine a-t-il franchi la porte du magasin que,

65

sur sa seule tête d'enterrement, avant même qu'il ait exprimé le moindre désir, nous l'invitons à descendre l'escalier qui mène au sous-sol où se tient le petit rayon d'articles funéraires. Nous mettons d'autant plus d'ardeur à combler son attente, nous faisons preuve de d'autant plus de patience devant celui-là qui se triture une heure le menton avant d'arrêter sa décision, que son chagrin nous semble sincère et véritable. Au prix parfois de quelques renoncements et contorsions esthétiques. Si l'éploré nous demande notre avis après qu'il a suggéré d'adjoindre aux roses rouges une tulipe violette et un œillet blanc, plutôt que d'ajouter à sa peine en lui conseillant, par exemple, des fanes de carottes, et considérant qu'un choc émotionnel occasionné par la perte d'un être cher peut amener à un brouillage du goût, nous acquiesçons – sans manifester un enthousiasme servile qui serait sans doute perçu comme suspect (la campagne est incertaine quant aux prétendues belles choses, et donc susceptible sur ce chapitre) mais de l'air que l'on prend pour signifier que nous n'aurions pas osé, mais pourquoi pas.

Ce qui fait que le dimanche suivant, au cimetière, nous nous empressons de repérer le fameux bouquet, prétexte à quelques commentaires sur l'innocente victime qui repose en dessous et qui, quelle qu'ait été sa vie, n'a certainement pas mérité ça.

Ce qui fait aussi qu'en comparaison, comme si nous tenions à rehausser notre chagrin, nous nous montrons assez fiers du tombeau familial, sobre, dépouillé, épaisse dalle de granit gris moucheté à deux pentes faiblement inclinées (mais suffisamment pour interdire d'y placer un vase ou autre bimbeloterie au risque qu'ils versent ou prennent un air penché). La pierre repose sur un socle plus large d'une main, ménageant sur le devant, creusée dans la pierre, une jardinière trapézoïdale dans laquelle sont plantés en rangs serrés des pieds de bégonia, choisis moins pour leur agrément, même si à la floraison ils apportent une touche rouge orangée, que pour leur résistance au climat océanique. Mais ce surgissement hors du granit, c'est comme si les petites fleurs, en perforant une des pierres les plus dures qui soient, étaient parvenues à se frayer un chemin vers la lumière, comme si, à leur exemple, il était possible de s'échapper de la fosse maudite.

La grande croix couchée sur le dessus, taillée dans la masse, en relief, vernissée, est aussi une singularité dans ce parc de croix dressées en sentinelles à l'arrière des sépultures. Car partout dominent les modèles en fer ouvragé, passés au minium, comme on en voit aux carrefours, et en béton armé aux branches cylindriques ou quadrangulaires. Ni étoiles ni croissants de lune dans cette enceinte, pas non plus de pierres druidiques ou de colonnes tronquées en biseau. Bon gré mal gré, les Croisés qui dorment sous terre attendent le Jugement dernier et la Résurrection de la chair.

Mais cette grande croix couchée, nue, sans christ, parfois il semble que notre père y est accroché au verso, qu'il suffirait de la redresser, ainsi que l'on procède lors de l'érection d'un obélisque, pour le remettre, lui, sur pied. Car sous la dalle sa présence est réelle. La preuve en est que nous baissons la voix à mesure que nous approchons. Nous surveillons nos paroles comme nous le faisions de son vivant, ne nous autorisant des écarts de langage qu'avec la certitude qu'il ne risquait pas de nous entendre. Jamais de jurons en sa présence, jamais de propos déplacés, d'expressions grivoises ou même argotiques. Lui-même veille à donner l'exemple, évitant de se laisser aller. Il faut que, marteau en main, il se tape assez vigoureusement sur un doigt pour qu'il se débonde en lançant un tonitruant chapelet d'invectives où le saint nom de Dieu s'accommode à toutes les sauces du blasphème.

S'il continue de nous intimider, c'est donc qu'il ne doit pas être loin. Sinon, pourquoi, alors qu'à l'entrée du cimetière nous nous réjouissons – à l'aune du lieu, s'entend – de repérer le fameux bouquet, pourquoi devant la tombe soudain nous taisons-nous ? C'est qu'il n'aurait pas apprécié. C'est qu'il est là. D'ailleurs, comme au jeu de cache-cache, au moment où s'arrête de crisser le gravier sous nos pas, nous sentons que nous brûlons, qu'il nous suffirait de soulever la pierre pour découvrir la source de chaleur et débusquer le disparu. Mais ce serait trop cruel. De quoi aurait-il l'air, ce père démasqué, pris au piège, sommé de revenir à la vie à laquelle sans doute il ne tenait que modérément pour nous laisser aujourd'hui patauger seuls dans une piscine de larmes. Alors nous jouons le jeu, faisons semblant de le chercher et de ne le pas trouver. Nous l'abandonnons à son triste sort de parfaitement dérobé aux yeux des vivants.

Pour qu'on ne nous prête pas l'esprit dérangé, on feint de croire que sa chair se décompose, que ses os blanchissent, lesquels, avec le temps, par l'action conjuguée de l'acidité du sol et de l'infiltration des eaux, finiront par tomber en poussière. Parce que c'est la thèse officielle et qu'il est toujours prudent de s'y conformer. Mais quand, plantés au bord de la tombe comme au bord d'une béance, silencieux, recueillis, les mains posées l'une sur l'autre à hauteur du bas ventre, la tête baissée et les yeux humides, nous marmonnons « Notre Père, qui es aux cieux », comme si la prière avait été écrite tout exprès à son intention, nous sentons bien intérieurement que rien ne se passe comme on le dit : c'est-à-dire cette histoire de décomposition. Et tous les témoignages, toutes les exhumations, n'y peuvent rien. Au plus profond de soi, dans ce réduit de silence où ne parviennent qu'amoindries les rumeurs de la vie, dans cet espace rétif aux évidences et aux preuves par neuf où se meuvent d'étranges pensées, dans ce cœur du cœur d'où partent un flot de paroles embrouillées à l'adresse de l'embusqué, tout se passe au contraire comme si son corps glorieux était intact.

Celui-ci ne se présente pas comme le reflet exact de

l'enveloppe charnelle dont il s'inspire dans les grandes lignes dans le but sans doute d'en faciliter l'identification, il ne vous apprend rien sur telle ou telle ride au coin des paupières ou à la commissure des lèvres, il ne vous renseignera pas sur la couleur des yeux si vous l'avez oubliée, ne s'opposera pas à l'érosion des traits du visage dans le souvenir. Mais, aussi imparfait soit-il dans son rendu du détail (quoique fidèle dans l'ensemble à l'esprit du disparu, à l'idée qu'on s'en fait), il a cependant cet avantage sur l'autre, le charnel, l'altérable, de bien mieux résister aux outrages du temps. Il ne craint même pas un brouillage de la mémoire. La raison ? Se moulant dans le vide laissé par l'absent, il représente, ce corps glorieux, très précisément la figure du manque.

Parfois devant la tombe le sentiment de sa présence est si fort, si absurde l'idée de sa dissolution, que vous vous surprenez à lever les yeux vers le ciel où, dans votre esprit, s'imprime le visage compatissant, rassurant, totalement apaisé, de l'envolé. Et cette impression est si nette, de cette tranquillité radieuse qui vous accueille de l'autre côté des apparences, que vous l'enviez au point, tête relevée, d'en chercher la trace parmi les nuées. Mais en un clin d'œil le monde visible reprend ses droits : là-haut, aucun visage, nulle empreinte de sourire, pas même une échappée bleue dont le pays est avare et qui, sinon consolerait, du moins permettrait d'éviter cette sensation d'écrasement. Juste des nuages, des masses de nuages, sombres, bas, qui roulent à gros bouillons ou s'étirent comme du coton sale d'ouest en est, lourds des humeurs océanes, progressant par vagues sur plusieurs niveaux, à des vitesses différentes, si bien qu'ils semblent s'engager dans une course folle au-dessus des terres, comme s'ils n'avaient pas envie de s'y attarder, les strates supérieures et inférieures se désolidarisant parfois dans le choix de la direction, les unes optant pour l'orthodromie, les autres pour une route plus au nord, inlassable activité de fuyards, les hordes sauvages de l'Atlantique partant à la conquête du monde, et la débandade est telle que des filets de brume se détachent des couches les plus basses, comme les éléments faibles, rejetés sur les flancs, d'un troupeau en mouvement, lambeaux de firmament mort qui pendent telles les voiles d'un vaisseau fantôme, flottent au vent, s'accrochent à la cime des arbres, s'effondrent dans le lointain.

Comprenant qu'il n'y a rien à attendre de ce ciel, hormis du vent, des nuages et de la pluie, tristement vous baissez la tête et fermez les yeux. Mais, à peine le temps de remâcher votre déception, à nouveau s'imprime au dos de vos paupières sur fond d'azur le visage radieux. Ce qui, cet aller-retour terre-ciel, concluait mon récit d'un dimanche à la campagne.

Or vous savez quoi ? ce devoir ? ce qu'il me valut ? D'abord se remettre en mémoire la cruelle cérémonie de la distribution des copies : le maître debout au milieu de la classe donnant à chacun, ou la lui faisant passer, sa composition corrigée, assortie d'un commentaire évidemment moqueur (puisque seul le silence équivalait à des louanges) et destiné à recueillir un ricanement général, sorte de chevrotement courtisan auquel s'efforçait de s'associer l'heureux récipiendaire, démontrant ainsi, quelle que fût sa déception, qu'il savait se montrer beau joueur et rire aussi de lui-même.

Pour ménager ses effets, selon qu'il lui prenait la fantaisie de faire languir le bon élève et de semer un doute dans son esprit, ou au contraire de s'offrir du bon temps avec le cancre de service en guise de bouquet final, il commençait par la plus mauvaise ou la meilleure note. L'habitué des bas de classement, celui qui accueillait d'un sourire goguenard les remarques les plus pessimistes quant à son avenir sous prétexte qu'un résultat aussi lamentable n'ouvrait pas des perspectives encourageantes, Gyf, n'était plus là. Il nous avait quittés à la fin de la première année, renvoyé sans doute, ses frasques ayant fini par avoir raison des circonstances atténuantes que lui valait sa situation familiale. On avait noté tristement son absence à la rentrée suivante, ce qui laissait présager une année sans joie. Ce qu'elle fut puisque c'est au retour des vacances de Noël, quelques mois plus tard, que j'étrennai dans le regard de mes semblables ma nouvelle condition d'orphelin de père.

Cette évocation d'un dimanche à la campagne ne disait pas autre chose. J'en attendais avec impatience le résultat, sûr du moins par ce récit d'une visite au cimetière de ne pas doublonner avec les inévitables parties de pêche, fables imaginaires qui servaient en la circonstance et dont on n'exigeait jamais la moindre preuve, par exemple pourquoi n'était-il jamais demandé de glisser entre les feuilles de la copie la carpe de trente kilos ou les centaines de petits gardons de cette pêche miraculeuse ? Moi, je n'avais rien à craindre, on pouvait bien envoyer un enquêteur sur le terrain, tout y était, exactement comme je le décrivais, à l'exception peut-être des pointes de lance dorées de la grille du cimetière – parfois la mémoire superpose les souvenirs, emprunte ici ou là, à une grille de préfecture, par exemple, mais enfin pour l'essentiel je ne risquais pas d'être pris en défaut, et puis quel correcteur par un verdict assassin prendrait sur sa responsabilité de surajouter du malheur au malheur ?

Les copies défilaient, les notes décroissaient et le nombre

des postulants à la dernière place se réduisait. Bientôt celui qui se tenait au centre de la classe tendait à bout de bras l'ultime devoir qu'il agitait sur l'air de vous n'avez rien vu, c'est-à-dire quelque chose comme le pompon, le clou, le genre il faut le voir pour le croire – et j'étais désormais le seul à n'être pas servi. La sentence allait tomber, et avec elle les pires outrages. Cette feuille agitée comme sous le coup d'un grand vent d'orage allait s'abattre dans une envolée de noms d'oiseaux.

On annonçait que cette dernière place était une grande première, que diriez-vous d'être lanterne rouge ? Ça ne vous est jamais arrivé, n'est-ce pas ? Vous protestez maladroitement en tentant de signifier d'un hochement de tête que vous avez déjà connu une situation semblable. Ce qui n'est pas vrai. C'est même tout à fait inhabituel. Simplement, par cette dénégation, cette banalisation d'un supposé inédit, vous espérez atténuer la violence du propos, ruiner un peu les effets de manche de l'impitoyable procureur. Pauvre parade, pauvre répit. Comme si le dernier mot ne lui revenait pas. Et ne trouvez-vous pas injuste que seuls les premiers aient droit au podium ? Pourtant un devoir pareil – la feuille au bout du bras s'agite de plus belle – c'est une manière d'exploit. Eh bien, montez donc sur la table et faites cocorico. Et il vous prend par la main, vous hisse sur le banc, et cérémonieusement vous tend une copie lardée dans la marge et entre les lignes de remarques au crayon rouge, de mots biffés, corrigés, comme autant de saignées sur le dos de l'animal piqué de banderilles, et vous ne savez pas ce que vous avez bien pu faire pour mériter un tel acharnement, ravalant à grand-peine l'inexorable montée des larmes, et tandis que de votre perchoir vous découvrez par la fenêtre la mer qui bat en contrebas, se déchire sur les brise-lames, étale ses nappes d'écume sur la plage de galets en marquant la limite de son avancée par une frise de goëmon brun, il vous apparaît que votre internement est total, que même l'océan vous est hostile qui pourrait en un acte fraternel submerger Saint-Cosmes, extraire de cette inutile masse liquide une déferlante puissante qui mettrait brutalement fin à votre calvaire, il vous apparaît avec stupeur que le monde, comme s'il n'avait rien de mieux à faire, profite lâchement du départ du grand absent pour liguer toutes ses forces contre vous, il vous apparaît enfin que vous êtes seul, sans secours.

Etait-ce en prévision de ce lot d'épreuves à venir ? J'avais très tôt reçu le don des larmes. Lequel don n'est pas à proprement parler un cadeau. De quoi avez-vous l'air à sans cesse pleurnicher pour un oui ou pour un non, une réflexion désobligeante ou une marque d'attention, toujours un pleur en sentinelle au coin de l'œil, prêt à verser à la moindre émotion ? A se demander où peuvent bien nicher ces piscines d'eau salée qui font les paupières gonflées après qu'elles ont débordées, quand on imaginerait plutôt l'inverse : paupières hydropiques qu'une séance de larmes permettraient de vider, mais le plus ennuyeux c'est que ces larmes réactives ne coulent pas toujours à bon escient. Rien de moins maîtrisable : le cœur ne paraît pas atteint, du moins il ne semble pas qu'il y ait le feu, et pourtant un système d'autopompes se met de lui-même en marche. Malgré vous. Et pas moyen, ces larmes, de les ravaler. Ou alors un temps, en gardant les paupières obstinément ouvertes tandis que vous fixez l'océan, que vous le maudissez de rester sourd à votre calvaire. Mais vous savez par expérience qu'au moindre clignement cette lentille d'eau qui tient on ne sait trop comment contre la pupille, s'affalera sans crier gare, amorçant un déluge à suivre que vous ne pourrez contrôler, vous rendant encore plus vulnérable, ce qui vous classe immédiatement, ce signe manifeste de sensiblerie, parmi les petites natures – classification à haut risque dans l'univers du collège. Car avant qu'on s'émerveille de votre sensibilité, avant que le geignard de service ne se transforme en un monstre de compassion – et la vérité est ailleurs, bien sûr –, il vous faut longtemps endurer les sarcasmes des prétendus durs à cuire qui confondent cœur sec et maîtrise des sentiments et qui pour rien au monde, en panne de chagrin, ne se laisseraient transfuser.

Or en ce domaine ma réputation était établie. Juste un exemple, l'année précédente, à une époque où il n'y avait pas encore péril en la demeure, puisque la maisonnée comptait à ce moment tous ses membres.

La distribution du courrier avait lieu au cours du déjeuner, généralement au moment du dessert, et, toutes les enveloppes étant ouvertes, il était prudent d'en avertir au préalable ses correspondants, lesquels, bien que ne risquant rien pour eux-mêmes, pouvaient par un écart de langage vous mettre en situation délicate. Quant aux lettres envoyées, elles étaient bien entendu disséquées, analysées et éventuellement commentées avec l'épistolier si celui-ci, tout en reconnaissant l'extraordinaire qualité de la nourriture, avait émis entre les lignes quelques réserves sur la succulence de, mettons, l'omelette aux nouilles. Convoqué dans le bureau du censeur lequel, ladite lettre en main, lui lisait le passage incriminé, il devait s'expliquer longuement sur ses prétentions de critique gastronomique aux conséquences néfastes pour la bonne image de Saint-Cosmes, haut lieu du bien-vivre comme le prouvait son incomparable implantation en bordure de mer. Tout le monde nous envie, et Monsieur fait la fine bouche, Monsieur verrait-il un inconvénient à recopier trois mille fois la recette de l'omelette aux nouilles, et à recommencer car il aura oublié le sel ? Gyf (car nous devions tous les lundis soirs expédier notre bulletin scolaire), comme il n'avait pas véritablement de correspondant, prenait ce biais pour tenir une sorte de cahier indirect de doléances à l'attention des autorités. Il avait ainsi raconté dans une de ses lettres que le plus dur n'était pas les longues stations à genoux que lui imposait le surveillant du dortoir, mais le fait que ce dernier, dont il partageait le temps de sa pénitence l'intimité, hésitât de longs jours d'affilée à renouveler ses chaussettes. Ce qui était notoire. Hasard ou remontrance des autorités, l'ultra-sensible de la voûte plantaire fit par la suite un effort.

La lettre n'annonçait rien de grave pourtant. La tante Marie, notre vieille tante Marie brutalement congédiée de son école des sœurs où elle enseignait depuis cinquante ans et qui se morfondait depuis quelques mois dans sa petite maison, venait en tombant de se casser un bras. Un bras cassé, ce n'est pas le bout du monde : on le plâtre, après quoi tout le monde signe dessus, et quarante jours plus tard le tour est joué. Même si pour les signatures on ne peut en être sûr, la vieille institutrice retraitée ayant sans doute passé l'âge, mais une fois la fracture ressoudée elle reprenait bientôt ses travaux d'écriture, lesquels consistaient principalement à recopier des prières pour faire fructifier son capital déjà conséquent de jours d'indulgence. La nouvelle n'avait donc rien de cataclysmique, n'était vraisemblablement pas même la raison première de cette lettre que le doux Juju me tendait en me précisant dans le même temps, histoire sans doute de me rassurer, qu'elle ne contenait rien de grave. Lui-même avait eu à subir semblable désagrément quelques années plus tôt et il s'en était très bien remis. D'ailleurs, démonstration à l'appui, il jouait de son bras comme d'une pompe à eau. Où l'on comprend qu'ouvrir le courrier d'autrui est un exercice délicat qui réclame dans certaines circonstances infiniment de tact.

Pourtant, même ainsi préparé, il se trouve que vous ne

pouvez rien contre cette Téthys de larmes toujours à l'affût derrière les paupières et qui prend le moindre prétexte pour déborder. Bientôt mon fromage blanc était noyé, que convoitaient tristement mes sept compagnons de tablée, lesquels avaient pris l'habitude de se partager mes assiettes, ce qui fait que dans les plans de table j'étais parmi les plus demandés.

Au cours de cette première année de collège, rebuté par une nourriture qui ne ressemblait en rien à la cuisine maternelle, j'avais pris l'habitude de m'alimenter essentiellement de tartines beurrées et de sucres : douze morceaux et demi dans mon bol de café au lait déjà présucré du matin, lequel nous était servi dans de grands pots en aluminium fondu, que nous apportaient sur des chariots à l'armature tubulaire de couleur crème deux vieilles petites sœurs rabougries et moustachues, empêtrées dans une épaisse robe noire protégée sur le devant d'un tablier blanc sous lequel pendait un chapelet. Les petites sœurs se desquamaient sous la coiffe. Il y avait si longtemps qu'elles ne s'étaient pas promenées tête nue, elles avaient si rigoureusement fait vœu de pénitence que le cuir chevelu forcément en avait pâti. On nous expliquait suffisamment qu'une bonne aération était une mesure d'hygiène. A peine entrée dans la classe, l'autorité se dépêchait d'ouvrir les fenêtres en lançant : ça sent le fauve ici. (Après quoi les mêmes fauves étaient traités de larves, veaux ou mollusques, selon l'inspiration du moment, mais beaucoup plus en rapport avec l'opinion que la même autorité se faisait de sa ménagerie.) La vie animale sous la coiffe s'apparentait sans doute davantage au domaine microbien, mais le front, irrité par ce linge blanc raidi par l'amidon qui faisait aux petites sœurs un haut de crâne à la Boris Karloff, présentait des signes inquiétants de pelade, et comme des lambeaux de peau non identifiés traînaient à la surface de notre café au lait, on se demandait toujours si l'origine en était bien lactée. Les douze sucres et demi s'imposaient.

Grâce à quoi, ce genre tout de même très particulier d'exploit, j'étais devenu rapidement célèbre. Tout le Saint-Cosmes incrédule défilait à l'heure du petit déjeuner (alors que levés à six heures et quart nous avions déjà supporté une heure d'étude et un passage à la chapelle où nous marmonnions endormis des espèces de laudes) pour compter les douze sucres et demi avec moi. Incroyable, inconcevable, imbuvable, j'hypothéquais ma vie, mon organisme, mon pancréas. On évoquait à mots couverts un suicide dentaire (de fait, j'y laissai deux molaires noircies jusqu'à la gencive – tu vois, ma petite fille chérie, le sucre ne vaut rien de bon pour les dents, mais reprends un bonbon si le cœur t'en dit). Même Gyf y alla de son couplet délateur : mon café au lait était tellement saturé que la moitié des sucres ne fondait même pas. Sans doute je les retrouvais apparemment intacts dans le fond de mon bol, mais comme les objets du Titanic, à peine les sortez-vous de l'élément liquide qu'ils tombent en miettes. C'est donc à la petite cuiller que je terminais mon sirop. Mais au fond ce qui intriguait le plus la foule des saints Thomas, c'était ce demi-sucre, résultat d'une longue et patiente expérimentation traversée d'essais malencontreux et de repentirs. Il me fallait donc expliquer en retenant mes larmes que treize, c'était trop, et douze, encore un peu fade.

Grâce à quoi encore – ce régime beurre et sucre – je grandis seulement de quatre centimètres la première année, quand mes camarades, accumulant les fautes de goût, ome-lettes aux nouilles et compotes de pommes en boîte, se haussaient dans le même temps de la tête et des épaules. Dire aussi qu'ils bénéficiaient d'une portion supplémen-taire, la mienne, qu'avec mon aval ils s'appropriaient, se partageaient, ou jouaient à pile ou face. C'est bien pour-quoi Gyf, prévoyant, qui craignait que ce déluge de larmes n'engloutît notre fromage blanc, décalait discrètement mon assiette et, tout en commençant d'y plonger sa cuiller, me prenait, tu permets, la lettre des mains afin de vérifier à la source quelle tragédie nous valait une si grande affliction. Il fallait pour le moins que toute ma famille eût été exter-minée. Version qui cadrait mal avec les propos du doux Juju, lesquels, à moins de penser que la symbolique de son bras articulé renvoyait à une formulation imagée du style je m'en balance, peu dans son genre, se voulaient plutôt rassurants.

Après avoir pris connaissance de la lettre, Gyf fit son

rapport devant la tablée tétanisée et expliqua qu'il n'y avait vraiment pas de quoi s'alarmer, autrement dit que ça ne cassait pas trois pattes à un canard, tout juste un bras à une vieille tante et, engloutissant le fromage blanc, que rien d'autre ne justifiait mon comportement qu'une propension (je traduis) à la pleurnicherie. Sur quoi on lui fit remarquer qu'on ne m'avait pas entendu lui donner officiellement et entre deux reniflements ma part de dessert, et que donc il devait la répartir équitablement. Peut-être, mais c'était lui qui avait lu la lettre, ce qui lui donnait des droits. Droits de rien, répondit un juriste spontané, procédant sur-le-champ à une saisie de l'assiette, tandis que j'organisais ma défense : bien sûr un bras cassé, ce n'était pas grand-chose, mais il ne fallait pas oublier l'âge de la victime, soixante-douze ans, et puis n'oubliez pas que les petits ruisseaux font les grandes rivières et donc les petits soucis les grands malheurs, ce qui signifiait qu'ils ne perdaient rien pour attendre. Et moi non plus, d'ailleurs.

Les événements de fait devaient me donner raison, mais pour l'heure Gyf, peu décidé à s'en laisser conter, s'emparait à nouveau violemment de l'assiette, qu'il finissait par emporter après que l'autre jouteur eut lâché prise, mais sans le fromage blanc, lequel, profitant de cet effet de catapulte, s'étalait en partie sur ses lunettes, en partie sur le beau costume de clergyman du doux (quoique un peu moins en la circonstance) Juju, venu à la rescousse pour séparer les affamés. Sur quoi, comme nous récoltions d'une privation de dessert de plusieurs jours, tous reconnurent que c'était de ma faute. Tout n'est pas rose dans la vie d'un saule pleureur.

Et maintenant, debout sur mon banc, j'aurais bien eu droit de me laisser aller. Les malheurs, dont le bras cassé de la tante avait été le funeste présage, s'étaient abattus sur nous en rafales. Car à la mort de notre père avait succédé celle, trois mois plus tard, de la tante Marie, foudroyée par le chagrin, s'en prenant pour la première fois de sa vie au Ciel dont elle avait pourtant accepté en bonne chrétienne les épreuves, confiante dans une mystérieuse mais bienveillante attention divine à son égard, et donc passe que deux de ses frères aient été tués à la guerre, que le troisième n'ait pas survécu à la mort de son épouse, laissant leur garçon de dix-neuf ans à sa vigilante affection, que sa jeune sœur ait été emportée par la grippe espagnole, qu'elle-même n'ait eu pour consolation, outre la religion et ses deux neveux, que la transmission de son savoir d'institutrice à trois générations de petites filles, passe encore cette existence de quasi-recluse entre sa petite maison et l'école des sœurs (un tout petit sacrifice comparé à l'infinie béatitude qu'on pouvait en attendre), mais, avec la mort brutale à quarante et un ans de son neveu bien-aimé, quelque chose cette fois ne passait pas. Comme si on avait fait franchir à son esprit la ligne jaune de l'intolérable au-delà de laquelle le doute distillait son terrible poison. Et c'est donc une tante Marie à deux doigts du reniement qui sombra – en quoi il faut peut-être y voir un effet de la Providence afin de sauver notre bienheureuse avant que sa raison vacillante ne l'entraîne jusqu'au blasphème – dans un long coma de plusieurs semaines qui trouva son terme, un dix-neuf mars, jour de la Saint-Joseph, patron éponyme du frère et du neveu.

Averti par un appel téléphonique, le doux Juju me convoquait dans la cour de récréation, et d'un air grave, un œil sur moi, l'autre s'évertuant à distinguer une mouette tridactyle d'un goéland argenté, il m'annonçait la mauvaise nouvelle : ta tante est morte. Et puis après un temps de réflexion, alors que déjà la Téthys gonflait sous mes paupières, craignant une possible confusion : tu sais laquelle ? Bien sûr que je savais. Tante Mathilde, tante Lucie, tante Marthe se portant bien, il était plus logique en somme que la mort ait choisi la vieille institutrice comateuse. Sur quoi, soulagé, il m'invitait à me retirer dans l'étude, à préparer mes affaires et à prendre le car pour Random le soir même, n'imaginant pas que quelques semaines plus tard il aurait à me convoquer à nouveau, cette fois dans son bureau dont une double porte, la seconde capitonnée, le protégeait des indiscrétions et l'autorisait à des écarts de voix.

La répétition étant plutôt un procédé comique, voilà qui n'arrangeait pas ses affaires. Avoir à redire presque mot pour mot le même aveu macabre ôtait de la gravité à son effet d'annonce. Aussi expédia-t-il très vite que mon grand-père venait de mourir. Tu sais lequel ? Son œil baladeur cherchait désespérément à s'accrocher aux rideaux, tandis qu'il s'en voulait de s'être laissé emporter par son élan, de n'avoir pas su garder sa langue. Il s'entendait à quelques semaines d'intervalle tenant en écho les mêmes propos. Pour un peu il aurait demandé qu'on le plaignît. Or des deux, le très à plaindre, n'était-ce pas plutôt l'endeuillé à répétition dans sa douzième année ?

L'autre grand-père, il y avait longtemps qu'il n'était plus dans la course, emporté par le chagrin après que la grande Aline, son épouse, eut succombé à un symptôme rimbaldien, un problème de genou, mais le doux Juju n'écoutait plus. Il se félicitait intérieurement que le père du jeune garçon eût choisi les vacances de Noël pour disparaître, lui évitant ainsi une fameuse corvée. Qu'il se rassure pourtant, là aussi le doute n'eût pas été permis.

En redescendant de mon banc, comme je baissais la tête pour cacher mes larmes à venir, sans doute emportées par le poids des verres, épais et lourds, mes lunettes tombèrent. La chose s'était déjà souvent produite, et les verres incassables, du moins présentés comme tels – ce qui de fait constituait un progrès formidable dans la vie des myopes –, avaient jusque là bien supporté les chocs. Avec cet inconvénient que, s'ils ne se brisaient pas ils se rayaient facilement. Vous évoluiez ainsi avec des sortes de fils d'ange – les rayures – devant les yeux, que longtemps vous tentiez de chasser d'un vain clignement de paupières, ou en essuyant sans cesse vos verres à l'aide d'un mouchoir, ou, si vous étiez précautionneux, le genre à conserver l'étui d'origine en dépit du fait qu'il ne sert plus à rien puisque vous êtes tenu de garder vos lunettes en permanence sur le nez, en utilisant ce rectangle de chamoisine, portant le nom et l'adresse de l'opticien et illustré d'une paire de pince-nez, qui était le seul cadeau que vous valait votre myopie.

Mais incassables, pas vraiment, seulement par rapport aux verres traditionnels. Disons plus résistants, mais avec des limites, si bien que l'un des verres – lesquels n'étaient maintenus à la monture que par un fil de Nylon inséré dans une fine rainure ménagée dans la tranche – se brisa en prenant contact avec le sol carrelé, s'émiettant en un semis de petits cristaux qui s'éparpillèrent sous les pupitres.

Tout événement imprévu était généralement le bienvenu. Le temps que l'autocrate de service reprenne les choses en main, on s'autorisait une certaine dissipation. Les voisins les plus proches du drame en profitèrent donc pour jouer à quelque chose comme : il y a une inondation dans la classe (ou une invasion de cafards), en décollant les pieds du sol, soulevant leur cartable appuyé contre le pied du bureau, et refusant de s'intéresser au cours tant qu'ils vivaient sous la menace de ce péril de verre. Le terrible Fraslin, qui avait cru un moment poursuivre en ignorant l'incident (ce qui se voulait moins bienveillant que cruel – que pouvais-je faire à demi aveuglé, sans la permission de manifester ?) fit semblant de se demander qui était le responsable de cette pagaille (comme si j'avais grimpé de ma propre initiative sur le banc), et après un simulacre de justice m'envoya chercher un balai dans un placard de la classe voisine. Ce qui n'avait rien non plus de réjouissant : affronter un tout aussi malveillant, ses demandes d'explications, ses sarcasmes, ses prises à témoins, et au final son sempiternel et désolant : au fait, il s'appelle reviens (quel drôle de nom pour un balai).

Avec lequel j'entrai penaudement dans la classe – vous

avez l'air de quoi, posez-le dans un coin, asseyez-vous et regardez le plafond, vous balaierez pendant la récréation – comprenant sur-le-champ que le despote avait profité de mon absence pour entamer un exercice, ce qui signifiait, dans la mesure où j'avais raté le début et où il était impossible de copier sur un camarade, un futur zéro assorti d'une sanction. Où l'on voit que l'acharnement est un art.

Après avoir regagné ma place, je n'étais pas pour autant au bout de mes peines : levant les yeux, il m'apparut clairement que sans lunettes je n'y voyais pas grand-chose. Si l'autorité m'incitait à regarder le plafond, c'est qu'il ne présentait pas en soi un grand intérêt, et donc qu'il eût perdu en netteté n'était pas un handicap, mais, plus inquiétant, le tableau vert se couvrait maintenant de signes blanchâtres indéchiffrables de mon banc, comme si le nuage de craie que soulevait la brosse quand on effaçait les inscriptions n'en finissait pas de se déposer, envahissait l'espace, se densifiait dans le lointain. Et, avec les larmes qui s'en mêlaient, tout se brouillait, composant une boue brumeuse devant mes yeux qui accentuait mon isolement, tenait le monde à distance, et me confirmait dans mon retrait intérieur.

Je pris mes lunettes, du moins ce qu'il en restait, déplorai le coût du désastre (les verres incassables étaient bien entendu plus chers et il ne fallait pas compter sur un remboursement par la Sécurité sociale, ou tellement négligeable que c'était vraiment se payer notre tête – thème récurrent dans une famille à lunettes aux revenus modestes qui n'était pas loin de voir dans cet ostracisme à l'égard des voyants précaires une forme d'injustice immanente, s'ajoutant au fait que de toute manière les commerçants, autre leitmotiv, n'ont jamais droit à rien, pas comme les fonctionnaires qui voyagent à l'œil, ont des bourses pour leurs enfants et travaillent quand ça leur chante) et les remis sur mon nez. Devant mon œil droit le fil de Nylon s'entortillait en forme de huit. L'œil gauche y voyait d'autant mieux que, la monture s'étant déformée en tombant, le verre intact se plaquait contre mon orbite à la manière d'un monocle – ce qui était, l'année précédente, la marque de Gyf.

En fermant alternativement les yeux, j'avais donc le choix entre deux visions, entre deux mondes. L'un, clair et net, dans lequel se détachent le sourire narquois de l'autorité, une règle de grammaire sur le tableau, la couleur du bec et des pattes des mouettes tridactyles (ce qui permet de les différencier des goélands argentés), la découpe des feuilles des arbres dans la cour (grâce à quoi on reconnaît des tilleuls), tout un monde tellement sûr de son fait qu'il se donne en spectacle, et l'autre, considérablement rétréci (l'horizon ramené à trois mètres), imprécis et vague, éloge du flou, où le ciel passerait pour une mer renversée et les nuages pour de l'écume bouillonnante, où le tableau vert n'a rien à livrer que son voile de craie, où les visages sont sans visage et donc sans malice, et où la vie, feutrée, ouatée, ayant perdu en définition, semble faire antichambre en attente d'un autre monde.

Avec cette autre conséquence que les lois élémentaires de la physique s'en trouvent modifiées. Ainsi, le son dans l'univers du myope voyage plus vite que la lumière. C'est à la voix, non au regard, que vous comprenez qu'on s'adresse à vous. C'est la rumeur d'un moteur plus que l'apparition au dernier moment d'une automobile qui vous retient de traverser une rue. Les œillades vous laissent de marbre, une parole caressante vous émeut jusqu'aux larmes. Les rides s'atténuent et, comme un timbre de voix conserve longtemps son grain de jeunesse, il ne vous apparaît pas que le monde autour de vous soit aussi sensible au vieillissement qu'on le dit.

Il n'est pas besoin de chercher à convaincre des avantages d'une vision claire, elle évite de saluer des lampadaires, de s'asseoir sur ses lunettes, de pousser au restaurant la porte des cuisines au lieu des toilettes, ou de chercher des heures une aiguille dans une botte de foin pour l'avoir confondu avec du blé, mais dans ce périmètre de vie atténuée (comme les sons dans la brume) où je campais depuis ce fatal lendemain de Noël, au cœur de ma nébuleuse, dans ce flou de la mort qui enveloppe les survivants, on n'attend pas de la clarté qu'elle fasse toute la lumière.

On n'attend pas grand-chose au vrai, et moins de la commisération qu'un peu de ménagement. Car le coup est rude tout de même, il est charitable de ne pas en rajouter. Or mes lunettes de borgne sur le nez, ma copie en main, je n'en croyais pas mes yeux. Il n'avait pas suffi à mon tortionnaire de rayer sauvagement mes pages au stylo rouge et de m'accorder la plus mauvaise note, il contestait en quelques lignes de commentaires blessants, outre une écriture approximative et incertaine (a-t-on jamais vu une croix se balancer ? En quoi j'étais bien d'accord, bien sûr qu'une croix ne se balance pas, même par grand vent, mais à force de nous répéter qu'il fallait varier le vocabulaire, utiliser des verbes exprimant le mouvement à la place des verbes auxiliaires, on en arrivait, terrorisé, et contre son gré, à ce genre d'aberration), elle contestait que j'eusse vraiment répondu au sujet (pour mémoire : racontez un dimanche à la campagne).

Que cherchait-on à insinuer? Que Random n'était pas une commune rurale ? Nous transformer en citadins, voilà qui était flatteur, mais pourquoi dans ce cas la même autorité n'hésitait-elle pas quelquefois à nous traiter, moi et quelques-uns de mes semblables pensionnaires, de paysans ? Un rapide examen des lieux remettait sans tarder les pendules à l'heure : l'expert qui avait noté l'absence de pointes de lance dorées sur la grille d'entrée du cimetière ne pouvait nier le caractère campagnard, avec passage de troupeaux dans la rue principale, de tracteurs, voire de charrettes attelées, de la petite commune de Loire-Atlantique. Quant au dimanche, les distractions

91

étaient si rares qu'on aurait été bien en peine de trouver une autre activité : le bal ? trop jeunes. Le match de football ? On jouait le matin. La pêche ? Random n'est pas en bordure de Loire, et ce n'était pas du tout notre style (ce qui implique, entre autres conditions, de pique-niquer, or vous imaginez notre délicate jeune veuve mangeant le poulet avec ses doigts ?). La cueillette des mûres ? Et pourquoi pas la chasse à la baleine ? Le dimanche – et nous ne sommes pas hors, mais bien au cœur du sujet – nous rendions visite à notre père sous sa dalle de granit.

Très exactement depuis cette borne monumentale du lendemain de Noël où une anomalie artérielle (ou l'abus de consommation de cigarettes, ou un travail trop harassant, ou une inaptitude à la vie, ou l'exemple de ses parents eux-mêmes partis trop tôt, ou une ancienne culpabilité d'être le seul parmi ses frères et sœurs mort-nés à avoir survécu) l'enleva à l'affection des siens (formule commutative). A quoi il faut ajouter, avant que ne se mette en place le rituel du cimetière, trois jours.

Comptez : décès dans la nuit du jeudi au vendredi, le temps des formalités administratives et religieuses, pas de cérémonie funéraire le dimanche – et donc attendre le lundi. Ce qui fait long pour un cadavre. Non qu'il ne puisse demeurer sans bouger, mais cette odeur nauséeuse et sucrée dont peu à peu il s'entoure commençait à incommoder, tandis que connus et inconnus, accourus de partout à l'annonce de l'impensable, serraient dans leurs bras la jeune veuve hébétée de douleur, aux yeux rougis par la veille et les larmes, avant de se recueillir un long moment auprès de l'ami volage.

Pour cela, les chaises de la maison avaient été réquisitionnées, disposées sur les trois côtés du lit, en prévision de ce petit théâtre existentiel. Représentation permanente de trois jours et quatre nuits, éclairée à l'ancienne par deux bougies, posées sur les tables de chevet encadrant la tête du lit, dont la cire fondue noyait en gouttelettes perlées le pied des bougeoirs. Car les choses ont peu évolué sur le front de la mort : la même flamme depuis la nuit des siècles, le même tremblement de lumière à opposer à l'envahissement des ténèbres, mais les espaces d'ombre ainsi ménagés de part et d'autre du masque exsangue, animé par le reflet lunaire des bougies, favorisent le recueillement.

Pendant la journée, les volets intérieurs de bois plein demeurent fermés, laissant juste filtrer une rayure verticale de lumière grise qui dans ses variations d'intensité nous renseigne sur l'avancée de l'après-midi. La pénombre n'a pas son pareil pour imposer avec une autorité naturelle le silence. Du coup, le moindre bruit prend de l'importance : de loin en loin le passage d'une voiture ou d'un vélomoteur, le raclement des pieds sur le plancher, le heurt d'une chaise qu'on déplace avec précaution, le froissement d'un tissu – jambes que l'on croise ou décroise –, le murmure d'une prière. Autre vertu de l'obscurité, elle permet de n'avoir pas à composer une tête de circonstance – quasi obligatoire au grand jour. Certains visages qui ne laissent rien paraître de leur émotion se verraient reprocher une certaine insensibilité peut-être. Au lieu que le voile d'ombre

94

projeté sur les murs recouvre les pensées de chacun d'une pluie de cendres.

Car on interprète tout, vous savez, et jamais autant que dans de tels moments où l'on se raccroche au moindre signe. Un geste machinal, un mot convenu se chargent d'une intensité qui les dépassent. Toute parole est prise à la lettre, étudiée, disséquée dans ses moindres sens. Celui qui la profère, aussi maladroite soit-elle, il est inimaginable qu'il n'en pense pas un mot. C'est terrible – oui, c'est terrible. Ce sont les meilleurs qui partent en premier – oui, c'était le meilleur. Il est inoubliable, cet homme-là – bien sûr que nous ne l'oublierons pas. Une main agrippe votre épaule et c'est la consolation même qui se pose sur votre épaule, un regard brouillé et c'est l'essence du chagrin, un sourire bienveillant – est-ce que celui-là n'est pas aussi touché qu'il le prétend que devant notre malheur il trouve encore la force de sourire ? On est à prendre avec des pincettes. On se répète la moindre information : Ton père, il était connu comme le loup blanc. Un loup blanc ne peut s'interpréter que comme un signe de rareté, ce n'est pas comme le lapin blanc, qui renvoie à des rêveries de petites filles. Un loup, c'est-à-dire une force respectée, un esprit farouche et indépendant. Et soudain le souvenir de cet homme ne connaît plus de frontières, se pose où bon lui semble, rôde partout en pays de connaissance. Comme s'il avait passé une vie de repérages dans l'intention de nous baliser le chemin.

Le temps du recueillement est variable, chacun l'estimant plus ou moins à l'aune de son chagrin, mais il existe une durée incompressible de convenance qui ne doit pas être inférieure à un quart d'heure. En deçà, ce serait traiter le mort et sa famille par-dessous la jambe, au risque de faire jaser. Au-delà, l'intrigue de cet impromptu tragique est trop mince pour retenir longtemps l'attention des moins concernés. Profitant de la pénombre et d'un silence apaisant, la rêverie s'envole loin de la pensée du mort.

Un exemple, la jeune veuve que vous avez pressée dans vos bras et qui s'apprête à traverser un long tunnel dont elle craindra ne jamais voir la fin, quelques années plus tard et à notre étonnement (nous entrevîmes là une première petite lumière vers la sortie), revint d'une des ces veillées mortuaires secouée d'un inextinguible fou rire. Sa réaction en dépit des apparences n'avait rien de scandaleux. Nous étions dans l'ordre du concevable : un défunt d'un âge relativement avancé, ayant bien vécu sa vie, et même pris un vif plaisir à la remplir, de sorte que depuis de longues années déjà il annonçait avec coquetterie qu'il pesait au moins cent vingt kilos, les balances n'imaginant pas au-delà. Inutile dans ses conditions de demander des comptes au ciel. Et donc il reposait énorme dans la pénombre sur un lit bâti à sa mesure, ses mains croisées attachées pour ne pas qu'elles glissent de cette montagne de chair. La jeune veuve, un peu moins jeune maintenant, s'avisa d'une ressemblance qui lui échappait : cette panse volumineuse, ce quadruple menton gonflé par le nœud serré de la cravate, cette petite moustache large de deux doigts, cette mèche plate sur le front, cette tête ronde. Et tout en priant pour le salut du défunt : Seigneur, accueillez dans votre céleste demeure l'âme de votre humble serviteur qui n'a fait que profiter des bonnes choses que vous avez créées, ajoutant mentalement un post-scriptum : par la même occasion, n'auriez-vous pas parmi votre troupeau une brebis avec un faux air de celle-ci ? Oliver Hardy (de Laurel et Hardy), souffla le Seigneur qui a l'œil. C'en était fini. Oliver Hardy sur son lit de mort, on s'attend, après qu'il a agité convulsivement sa moustache, à ce qu'il éternue, à ce qu'il nous livre une dernière facétie, et puis Oliver Hardy est immortel. On n'a donc plus de raison de garder son sérieux. D'où l'explosion de rire à la sortie de ce cinéma muet – et cette bonne nouvelle : notre maman au bout de son long tunnel.

Mais, pour notre père, c'eût été impensable qu'on pût une fois hors de la maison se tenir les côtes. Comment douter de la sincérité de cette foule affligée qui défilait sans interruption devant sa dépouille ? Des morts, il y en avait sans doute eu avant lui, mais il semblait évident que le vide laissé par leur départ n'avait pas marqué à ce point, que l'effroi n'était pas comparable, ni le sentiment de révolte. La preuve en est cet encombrement dans la chambre, ces mines défaites, ces visages sur lesquels nous sommes incapables de mettre un nom maintenant qu'on vient de plus

97

en plus loin, de bien au-delà de la commune, et même du département, à mesure que l'effarante rumeur se propage. Pour rien d'autre que pour être là. Et quand il semble que cela suffit, le temps de présence, que celle-ci a bien été enregistrée par la jeune veuve, on profite d'un nouvel arrivant pour en catimini lui céder sa place.

Seules les femmes apportent des chapelets. Les hommes n'osent pas, ou ne croient pas au pouvoir de la prière. Ils ont pris depuis trop longtemps l'habitude de ne pas se plaindre, de ne rien demander, de compter sur leur seule force. Quand il leur arrive de se signer, ils le font petit bras, à la dérobée, tête penchée pour raccourcir la distance entre le front et le nombril, si bien que le pied de la croix tombe à hauteur du plexus et l'extrémité des branches de chaque côté des salières à la base du cou. D'eux, on attend plutôt des paroles consolantes, de celles qui, sans tirer un trait sur ce qui vient de se passer, réorientent vers l'avenir, lequel se situe généralement, dans une perspective prophétique, assez loin en avant, de sorte qu'ils ne courent pas grand risque d'être contredits sur l'heure.

Les formules tombent désuètes et maladroites, embarrassées et bienveillantes. Ainsi celle-ci à l'intention des orphelins : Vous récolterez ce qu'il a semé, répétée plusieurs fois, comme pour bien nous en convaincre, et d'un air si pénétré, si plein de certitude, qu'on se demande ce qu'il a bien pu semer, ce père, quelle graine philosophale, quelle carte au trésor, qui ferait du moment futur de la

récolte une sorte de matin de Pâques, quand on se précipitait dans le jardin à la recherche de petits Jésus en sucre
et d'œufs en chocolat dissimulés parmi le laurier et les
fleurs.

III

Une impression de déjà vu, mais fugitive, et puis les cheveux étaient longs maintenant, qui lui tombaient sur les épaules, partagés par une raie blanche sur le dessus du crâne et ramenés derrière les oreilles, à qui il demandait décidément beaucoup puisqu'elles supportaient également les branches de ses lunettes. Et c'est justement ce qui aurait dû me mettre sur la piste : des lunettes premier prix, remboursement intégral, qu'aucun opticien n'exposait dans sa vitrine, sinon peut-être en période de carnaval, et qu'on ne croisait que dans le fin fond des campagnes ou dans la misère d'un orphelinat. D'ordinaire, les étudiants qui n'avaient pas envie de ressembler à leurs parents optaient pour le modèle Tchekhov ou Trotsky et cette petite touche intellectuelle et spartiate que donnent les lunettes cerclées de métal. Mais celles-là dépassaient les bornes de la contestation. Celui qui s'affublait d'une telle monture n'était certes pas de nature à accepter un quelconque compromis de classe. A n'en pas douter, ce modèle de base devait s'interpréter comme une manifestation de soutien indéfectible à la masse de nos camarades travailleurs, une revendication fondamentale qui ne pouvait déboucher que sur un avenir radieux.

Là-dessus, sur l'imminence d'un lendemain plus chantant que la veille, il valait mieux se montrer optimiste ou se débrouiller pour s'en convaincre, car c'était un sujet sérieux qui supportait difficilement qu'on y instille le poison du doute. On pouvait même dans ce cas faire preuve d'une certaine raideur d'esprit. Ainsi la hyène puante du profit, par exemple, nourrissait en son sein félon aussi bien la haute finance que le petit commerce. Quoi ? Maman, une hyène puante ? Je préférais ne pas relever, glissant sur un père mort – victime des forces d'oppression du capital ? –, il y avait un peu de ça, mais sans m'étendre, quoique, d'une certaine manière, c'est vrai qu'il s'était tué au travail, mais il était encore trop tôt pour me livrer à une défense et illustration des miens. D'autant que la famille n'était pas non plus en odeur de sainteté, et la sainteté n'en parlons pas, alors dans ce cas parlons d'autre chose. Mais là encore l'art de la dialectique de mes frères d'armes m'avait amené lors d'une imprudente discussion sur révisionnisme et jachère à conclure mon exposé en complète contradiction avec ma thèse de départ, laquelle n'était déjà pas d'une grande clarté, mais il fallait bien se lancer. Ce qui m'avait valu, devant les remarques narquoises de mes objecteurs, de m'enfoncer davantage en expliquant que cette contradiction était justement ce que j'avais tenté de démontrer, tout en me jurant intérieurement qu'on ne m'y reprendrait plus. Bien entendu, on m'y reprit, parce qu'il est pénible de se tenir toujours à l'écart, et que frères d'armes, c'est une façon de parler, étant totalement désarmé et pour tout dire assez seul.

Il était rare en effet qu'on frappât à la porte de ma chambre, à la cité universitaire. Les quatre étages sans ascenseur n'en étaient pas seuls responsables. J'y mettais sans doute un peu du mien en décourageant, par une prudence excessive, les bonnes volontés. Ainsi celui-là avec ses lunettes d'orphelin intégral n'était pas le premier à tenter l'aventure. Quelque temps auparavant j'avais reçu la visite d'un ancien congénère de Saint-Cosmes, que j'avais immédiatement soupçonné de n'être venu que dans l'intention de m'espionner et de me narguer. Car enfin, pourquoi aurait-il traversé toute la ville, la faculté de médecine étant à l'opposé de celle des lettres ? Pour s'informer de ma santé ? s'inquiéter si je suivais les cours ? évoquer nos souvenirs de collégiens ? D'accord, nous avions étudié quelques années ensemble – même s'il nous avait quittés à la fin de la seconde –, mais pas dans les mêmes conditions. Lui était externe, autrement dit, comparé à notre sort, un nanti, qui plus est d'une famille appartenant à la bonne société nazairienne, père grand chef des chantiers navals, ou de cet ordre, mère dans les bonnes œuvres de la paroisse, si bien que j'avais dû à cette aisance et au devoir de charité d'être invité un jeudi, qui était alors le jour de repos, dans leur belle maison du bord de mer, style villa de l'entre-deux-guerres dont on se demandait comment elle avait pu

105

échapper au pilonnage intensif du port et de la ville qui avait fait de Saint-Nazaire un champ de ruines.

Cette invitation était d'autant plus surprenante que je n'avais jamais eu le sentiment que nous fussions, lui et moi, amis ou même simplement camarades. Il y avait deux groupes bien distincts dans le collège, et il ne faisait pas partie des compagnons de chaîne. Du moins cette marque d'attention dont je faisais soudain l'objet me permettait-elle d'échapper aux sempiternelles promenades du jeudi après-midi, en rangs par deux (par chance, on n'était pas tenu de se donner la main), le long du bord de mer en empruntant le chemin de douane, ou prenant la direction opposée, jusqu'au port, les jours de mauvais temps, où nous nous amusions à écarter du quai les énormes cargos d'une simple poussée du pied. Quand après cinq kilomètres de marche on arrivait enfin à la plage choisie (au pied d'une falaise, une anse de sable fin fermée par la mer à marée montante), il était bien sûr interdit de s'aventurer dans les rochers et de mettre ne serait-ce que la moitié d'un pied dans l'eau, si bien que l'occupation principale consistait à organiser des concours de saut en longueur sur le sable, ou d'ennuyeuses parties de morpion (quand on connaissait l'astuce, la partie était déjà jouée avant même de commencer : le premier à déplacer son coquillage clair ou son petit galet sombre sur les lignes du carré quadrillé avait déjà gagné).On emportait bien sûr un ballon, une pauvre balle en mousse crevassée comme la lune, mais dans le sable fin impossible de dribbler, et les corps à corps étaient encore plus furieux. D'où l'intérêt d'hériter du poste de gardien, pour lequel les candidats étaient plus nombreux que d'habitude, en raison des plongeons spectaculaires que permettait l'aire de jeu. Encore fallait-il se méfier des galets enfouis, rochers, branches mortes, morceaux de bouteille, fils de fer rouillés, qui rendaient parfois douloureuse la réception. De toute manière, étant donné la distance et sachant que nous devions être revenus pour l'étude de cinq heures, à peine arrivés, après un bref sit-in, il nous fallait déjà penser à repartir.

A l'approche de l'été, comme nous tirions la langue sur le chemin du retour, nous étions exceptionnellement autorisés à nous arrêter chez le marchand de glaces installé en bordure de la plage, non loin de la villa de mon nouveau camarade occasionnel. Il en profitait quelquefois pour échanger deux ou trois mots avec nous, comme un libéré visitant ses compagnons de cellule. La procession des pensionnaires passait juste devant sa maison, de sorte que, le jour de l'invitation, alors que nous disputions une partie de ping-pong dans son jardin, sous un pin parasol dont le tronc fortement incliné indiquait la même direction du vent depuis quarante ans (alors qu'il ne souffle pas toujours de la mer), j'entendis par-dessus la haie mon nom hurlé par toute la troupe, accompagné de qualificatifs plutôt dérangeants.

J'aurais pourtant volontiers échangé ma place. S'appliquer à faire assaut de politesse et de savoir-vivre quand on redoute un impair et qu'on se sent surveillé, ce n'est déjà pas une sinécure, mais le drame avec les gens qui ont les moyens c'est qu'ils ont tout, et donc une table de ping-pong. Or le ping-pong était loin d'être ma spécialité. Ayant peu pratiqué, la difficulté pour moi se révélait double : d'abord tenter de rattraper les balles que mon partenaire mollement m'envoyait, puis les lui réexpédier par-dessus le filet tout en espérant qu'elles retombent dans son camp. On m'objectera qu'il s'agit là des règles les plus élémentaires de ce jeu. Sans doute, mais en théorie seulement. Rattraper la balle dépendait uniquement de l'adresse (réelle, il devait être champion du monde) de mon adversaire, qui s'appliquait généreusement (il était scout dans le civil) à viser le centre de ma raquette. Mais, pour peu que je la tinsse, ma raquette, parallèlement à la table, les balles rebondissaient alors sur la tranche, ce qui leur donnait en retour des trajectoires fantaisistes : l'une d'elles grimpa ainsi se réfugier dans la couronne du pin parasol et, vexée sans doute, refusa d'en redescendre. Mais ce fut un cas limite. Je disposais entre le haut du filet et les branches les plus basses de suffisamment d'espace pour ne pas épuiser la réserve de la maison.

Ce qui n'empêchait pas mon camarade de se montrer apparemment très satisfait de mes services. Au moment du déjeuner, après une rapide prise de contact et alors que nous avions déjà disputé trois parties en un peu moins de dix minutes, il confiait à sa mère, qui s'inquiétait de mes dons, que je lui avais opposé une certaine résistance et qu'il avait dû batailler ferme pour dans l'ultime partie s'imposer vingt et un à trois. C'est dire si j'attendais la revanche avec impatience.

A ma décharge, je ne jouais que d'un œil. Mon verre de lunettes s'étant brisé quelques jours auparavant, j'avais préféré patienter jusqu'aux vacances prochaines pour son remplacement. Je craignais que le brouillard dans lequel m'eût tenu le temps de la réparation ne m'expose à quelques désagréments, par exemple qu'une autorité maligne, au fait de mon infirmité, me lance brutalement : qu'est-ce que je lis ? en tapotant de sa fine baguette de bambou une malheureuse formule mathématique tracée à la craie sur le tableau et, faute d'obtenir une réponse (car, contrairement à la formulation, ce n'est pas à lui que s'adresse l'injonction), m'enjoignant de la recopier cent mille fois, tout en se dépêchant de l'effacer. Si bien que je suivais les cours d'un œil, tandis que la vision trouble de l'autre s'entortillait dans le fil de Nylon tordu en huit en attente d'un verre à soutenir.

A peine sorti de la classe, je retirais ma moitié de lunettes, apprenant peu à peu, et au prix d'embarrassantes confusions, à suivre le disque écliptique du ballon dans nos parties, à paraître absorbé dans mes pensées pour n'avoir pas à saluer une silhouette inidentifiable dans le lointain (c'est-à-dire au-delà de trois mètres), à ne pas forcer ma vue en plissant des yeux (ce qui donne des maux de tête et un air idiot), à me contenter de ce monde approximatif, essayant de me convaincre que je ne perdais pas grand-chose et que tout ne valait pas nécessairement (et à chaque instant : la mer une fois pour toutes recommencée) le coup d'œil.

Mais, pour la partie de ping-pong, après une tentative infructueuse qui m'avait vu à maintes reprises fouetter l'air de ma raquette, alors que mon camarade inquiet me signalait que la petite balle blanche était passée de l'autre côté, j'avais dû me résigner à rechausser ma monture de cyclope. Ce qui me plaçait devant un dilemme tragico-classique : nos parties d'après repas comptant une spectatrice (la sœur du champion, d'un an plus âgée, et à la beauté intimidante – longs cheveux châtains, yeux sombres, silhouette de championne du monde de danse qu'elle promenait sur des pieds en V), que valait-il mieux : être ridicule sans lunettes en tapant à côté de la balle, ou être ridicule avec ma demi-monture sur le nez en sachant que mes talents de pongiste, même avec une vue à demi améliorée (je jouais uniquement en coup droit, et mon camarade avait beau me servir sur mon bon côté, c'était aussi celui du verre absent, d'où quelques ratés), ne suffiraient peut-être pas à l'éblouir ? C'est un coup hasardeux et brillant qui me fit opter pour la seconde solution (l'un des trois points gagnés de la fin de matinée, une balle qui rebondit sur l'extrémité du manche de ma raquette, rase le filet et prend mon adversaire à contrepied). Constatant qu'avec un peu de pratique mon niveau s'améliorait, j'espérais en rejouer de semblables sous les yeux de la belle, sortir de ma raquette, comme un magicien de sa manche, une sorte de bouquet final ponctué d'un smash inédit qui la verrait se précipiter dans mes bras pour un baiser au vainqueur, même si le vaincu était son frère, ce qui, dans une perspective tragico-classique toujours, ne constituait pas un obstacle insurmontable, Chimène étant tombée dans ceux (les bras) dont l'un avait, et le matin même, ce qui dénote de sa part une grande largeur d'esprit, tué son père.

Vue de Random, via Saint-Cosmes, elle avait l'élégance et la simplicité des beaux quartiers : jupe marine, chemisier bleu pâle et autour du cou un foulard noué à la façon des scouts, et d'ailleurs ce devait être en fait l'uniforme des jeannettes, en compagnie desquelles elle avait passé la matinée et une partie de l'après-midi. Tout imprégnée encore de la nécessité de commettre chaque jour une bonne action, elle courait après mes balles perdues qu'elle me rapportait en souriant, et que je récupérais à chaque fois en rougissant, n'ayant pas même le temps de blanchir d'une balle à l'autre, et, comme je n'arrivais pas à m'imaginer qu'elle s'essoufflait uniquement pour mes beaux yeux (difficilement perceptibles derrière ma monture borgne), je pensais qu'elle en profitait pour faire sa provision de B.A. et accumuler ainsi de quoi tenir une année pleine.

Pour moi seul, le nez sur le miroir, et pour autant qu'on puisse être son meilleur juge, j'avais plutôt l'impression que mon physique gagnait à n'être pas affublé de ces horribles lunettes à verres épais, et donc qu'en les ôtant je mettais des atouts de mon côté, je veux dire en ce qui concerne la lancinante question : est-ce qu'une fille jamais s'intéressera à moi, qui est la seule, l'unique question, en comparaison de laquelle toutes les autres paraissent sans importance, et même le sort de la planète, à condition bien sûr qu'il ne remette pas en cause la réponse à ladite question. (D'où les tests du genre si je réussis à passer correctement mon service ce sera réglé, nous serons heureux et quant aux enfants il est encore un peu tôt pour y penser. Et c'est là que devant l'enjeu la main tremble : et si d'aventure le service ne passait pas ? Seul à vie pour une balle dans le filet ? Ce serait à désespérer du déterminisme en général et de Dieu en particulier, alors prenons nos précautions, n'allons pas bêtement hypothéquer sur un coup malheureux notre avenir sentimental, ne cherchons pas à marquer le point, assurons et tant pis pour le style : raquette bien à plat au-dessus de la table, frapper la balle de haut en bas légèrement à l'oblique qui rebondit, passe un bon mètre au-dessus du filet, jusque-là tout va pour le mieux, et maintenant pourvu que le coup ne soit pas trop long, torsion du cou pour modifier à distance la trajectoire, il s'en faut de quelques centimètres, mais ouf, la balle retombe sur le plateau. Déjà je suis impatient de connaître le nom de ma promise, et à quoi elle va ressembler, même si je reconnais qu'une beauté comme celle-là qui se penche une énième fois à la recherche de la balle perdue que je n'ai pas vu revenir, découvrant très légèrement ses cuisses de danseuse, déjà hâlées par l'iode et le soleil d'Atlantique, monture complète ou pas, n'entre pas dans mon champ de vision.)

Mais les autres le sentaient bien qui, quand ils me voyaient sans lunettes, ne manquaient pas de me demander pourquoi je n'en portais plus, et si ce n'était pas par coquetterie, pour me rendre intéressant aux yeux de qui vous savez. Et là il vous apparaît que le monde est cruel, vraiment, qu'il ne fait pas l'effort de se mettre à votre place, de votre point de vue la plus ingrate, ne sachant jamais sur quel pied danser, quelle tête adopter, mais en tous cas une autre, car qui celle-là pourrait-elle bien intéresser ?

La pâtissière de Random, chez qui tous les dimanches matins nous achetons cinq gâteaux, quatre maintenant qu'un mangeur d'éclair au chocolat nous a fait faux bond – mais maman tient à ce rituel, à ce que la vie continue, c'est-à-dire au moins une sorte de fac-similé –, semblait prendre (peut-être en signe de mauvaise humeur : notre choix se porte toujours sur les mêmes gâteaux, bien qu'elle nous exhorte à essayer ses nouveautés, mais en vain, d'où son lamento : à quoi sert d'innover, immobilisme des gens de la campagne, ah si elle était en ville) un malin plaisir à me demander comment il se faisait que mes lunettes n'aient pas encore été réparées. Ne devrais-je pas changer d'opticien, d'ailleurs elle en connaissait un, et puis j'allais m'abîmer les yeux, finir comme son oncle par exemple, le mois dernier, une opération de la cornée, tandis qu'elle range les

gâteaux dans la petite boîte blanche en carton sans couvercle qu'elle a dépliée, et qu'elle va envelopper d'un papier
de soie. Mais déjà vous n'écoutez plus. Pourquoi vous
empêche-t-on de faire bonne figure ? Qui cela dérange-t-il ?
Ne devrait-on pas plutôt encourager les candidats au bonheur ? Est-ce que je lui fais remarquer qu'à sa place j'aurais
rangé les gâteaux différemment, d'autant que quatre c'est
plus facile que cinq, qui obligeaient à un empilement, une
tartelette aux amandes supportant un chou à la crème, ce
qui vaut mieux que l'inverse.

Mais c'est un fait, c'est un complot : certains s'y entendent pour vous gâcher le plaisir. A Random, les seules à
sortir du cadre étroit triste, sans fantaisie, imposé par la vie
locale, ce sont les vieilles filles une fois qu'elles ont perdu
la tête, qui, après une existence confite en dévotion, se coiffent de chapeaux d'une autre époque, jouent les starlettes
et relèvent leurs jupes à tout bout de champ. Le surnom
dont on les affuble, on n'a pas été le chercher bien loin :
on les appelle les folles. A travers elles on comprend qu'il
ne faut pas rater le coche. C'est beaucoup plus tard, devant
le monument aux morts de la Première Guerre mondiale
et la liste impressionnante de leurs fiancés potentiels, qu'on
se dit qu'on a tout intérêt à ne pas se tromper d'époque et
qu'elles, les sacrifiées de l'Histoire, n'ont vraiment pas eu
de chance. Si l'on considère les hommes en âge de se marier,
c'est une saignée, un véritable casse-tête pour agences
matrimoniales : il doit au moins en manquer un sur deux

à l'appel. Mais, avantage à ceux qui revenaient, ils avaient du coup l'embarras du choix. Et donc la stratégie était simple : une guerre qui élimine une partie des hommes, et s'arranger pour être parmi ceux qui reviennent. J'augmentais mes chances. J'imaginais la sœur de mon camarade en infirmière dévouée, s'affairant auprès des blessés, élégante avec son voile blanc, virevoltant dans sa robe légère, et d'ailleurs peut-être que la solution idéale était celle-là : une blessure bénigne qui démontre qu'on n'est pas un lâche, et se faire soigner par la belle. La difficulté consistait à dénicher un ennemi compréhensif qui sût viser juste : une simple éraflure au sommet du crâne, les mains de la sœur du camarade confectionnant avec d'infinies précautions un turban qui atteste que vous avez fait front.

Le soir même, elle rentrait dans mes rêveries. Pour ce geste qui sauve, et pour cet autre à l'heure du goûter quand elle m'eut demandé ce que je préférais sur ma tartine : de la confiture ou de la crème de noisette, et que, troublé, incapable de me décider, je bredouillai toujours rougissant que ça m'était égal, et comme elle insistait, m'entendant avec effroi, comme si un ectoplasme s'exprimait par ma bouche, lui répondre : les deux, si bien qu'elle me tendait peu après en souriant une tartine unique au monde, rouge et noisette. Un sourire que j'interprétai immédiatement de la sorte : je savais que le camarade de mon frère dont il ne m'avait jamais jusqu'à ce jour parlé était idiot avec sa moitié de lunettes sur le nez et son fil à couper le beurre devant l'œil droit, mais, à ce point, a-t-il vraiment l'intention de poursuivre des études ? Et les imaginant après mon départ, tous les deux, le frère et la sœur, remimant la scène (la tartine hybride et mes poses minaudières), la rejouant encore et encore, à chaque fois terrassés par une même explosion d'hilarité. Mais je tenais ma revanche : j'avais remarqué qu'elle se rongeait les ongles, ce qui, à mes yeux, nuisait à son genre de beauté et, dans une certaine mesure compensait ma maladresse et mes lunettes rafistolées. C'est pourquoi, le soir même, je m'autorisai à l'incruster dans mes rêveries, celles qui précèdent la plongée dans le sommeil et que l'on mène à sa guise.

Jusqu'à l'extinction progressive des lumières (vingt interrupteurs alignés sur deux rangs dans l'alcôve du surveillant, dont les cliquetis successifs longtemps s'imposèrent comme le signal du réveil), nous n'avions pas la paix. Le silence était de mise au dortoir, le troubler c'était prendre le risque des sanctions habituelles (même si, après une rude journée commencée très tôt, le gros de la troupe, têtes brûlées comprises, aspirait principalement au repos). Aussi avions-nous inventé pour communiquer de mettre la tête dans nos placards installés sous les fenêtres, après nous être aperçus que les tuyaux du chauffage central les traversaient dans leur partie inférieure, ce qui permettait d'échanger à voix basse dans ces confessionnaux improvisés quelques informations capitales liées à notre survie : Fraslin est un malade, ou : tu crois que l'œil baladeur de Juju est aveugle ? ou : la somme des angles d'un triangle est égale à quoi déjà ? Mais évidemment mon tout manquait de discrétion : deux pensionnaires, la tête dans leurs placards respectifs et contigus pendant cinq minutes, ça faisait forcément louche. On invitait donc l'un à s'agenouiller dans le

117

coin de l'alcôve près des toilettes, et l'autre à passer une partie de la nuit à la porte du dortoir, sur le palier glacial en hiver.

En hiver justement, comme nous écourtions notre temps de toilette, usant parcimonieusement d'installations sommaires (un tuyau horizontal planté de petites chevilles couplées deux par deux tous les cinquante centimètres d'où coulait un mince filet d'eau froide dans un bac en métal émaillé blanc, sorte d'auge trop haute pour que les petits y lancent la jambe), il arrivait que l'autorité, parce qu'elle s'était livrée à l'inspection des pieds d'un présumé suspect, et bien que nous fussions déjà couchés, nous renvoyât tous nous laver, de sorte que même après l'extinction des feux il convenait d'être prudent et de ne lancer la machine à rêver qu'après s'être assuré que rien ne viendrait la perturber.

Pendant ce temps, en contrebas, la mer inlassablement lançait ses rouleaux contre les brise-lames de béton, agonisant sur la plage et se retirant dans un frémissement de coquillages pilés avant de revenir à la charge, jamais découragée, toujours grosse de fureurs contenues, le front blanc têtu de la vague partant à nouveau à l'assaut des galets, repoussant la frise d'algues, et marquée par l'effort se repliant sur ses arrières. Mais ce mouvement perpétuel, ce compagnonnage sonore qui berçait nos nuits à longueur d'année, n'était qu'une manière d'entraînement, d'échauffement avant les grandes manœuvres de l'hiver, quand la tempête qui battait au-dessus de l'Atlantique était telle qu'on croyait bien que les hordes liquides allaient tout emporter.

Aux grandes marées d'équinoxe, les déferlantes escaladaient puissamment le remblai, avant de franchir le muret de pierre et de s'écraser en deux temps sur le trottoir : d'abord le gras de la vague, puis, avec un effet de retard, une volée d'embruns, comme des semailles de mer, légères, assourdies, cascadantes, qui clôturaient la séquence. Au cours de ces assauts répétés il semblait que les vagues entre elles se lançaient un défi : repousser toujours plus avant cette frontière mobile entre les éléments, gagner encore sur la terre ferme, à qui retomberait le plus loin, et donc pourquoi ne pas essayer d'atteindre la conciergerie, ce petit bâtiment au toit d'ardoises à quatre pans coincé entre les deux immeubles symétriques qui se dressent sur le front de mer ? Ce qui revenait à envelopper, comme un adepte du saut ventral, le remblai, le trottoir et la route, alors les vagues piquées au jeu prennent leur élan, partent de loin, font le gros dos, creusent cette étendue saumâtre de sillons profonds, mouvants, menaçants, progressant comme le vent sur les blés, la crête des vagues blanchissant, écumant, gonflant, jusqu'à ce que devant l'obstacle une muraille d'eau s'arrache à la houle et par une impulsion prodigieuse se joue du rempart de pierres en projetant par-dessus la chaussée une arche liquide.

A l'oreille, les couvertures remontées jusqu'aux yeux, nous suivons la préparation et le développement des opé-

119

rations. Le vacarme est énorme qui entremêle le grondement de la mer, le roulement du tonnerre, les éclairs zébrant le dortoir et, certaines nuits, quand la lumière des réverbères semblent empaquetées dans un ballot de coton, la plainte mélancolique et grave des cornes de brume. D'autres soirs c'est la pluie qui, rompant brutalement avec sa présence discrète, entreprend de cingler les vitres, comme si un marchand de sable peu convenable, lassé de ces pincées individuelles dans les yeux des candidats au sommeil, inventait de jeter sur les fenêtres des pelletées de gravillons pour tous nous assommer d'un seul coup. Mais les vitres résistent, si bien qu'au moment où la vague submerge le toit de la conciergerie qui résonne comme un tambour je suis déjà hors de portée, loin du dortoir et des intempéries, des terreurs du jour et des humiliations à répétition, réfugié dans un univers de pure consolation et de douceur, préservé de l'acharnement et de la malveillance, contre lequel personne et pas même les éléments déchaînés ne peuvent rien.

Et, ce soir, j'ai une invitée : la sœur de mon camarade m'a rejoint dans une cabane en planches bâtie tout exprès au sommet d'un arbre planté au milieu d'une île où, retirés du reste du monde, nous pouvons nous blottir l'un contre l'autre. De l'amour je n'imagine pas au-delà d'osés baisers sur la bouche, et me contente de longues et tendres étreintes, de mots doux et de regards échangés. Pour les besoins de mon cinéma intérieur j'ai apporté quelques retouches : je me suis grandi d'une tête, de manière à pouvoir regarder mon aimée dans les yeux sans avoir à me hisser sur la pointe des pieds, et bien entendu j'ai une vue perçante qui me dispense de porter des lunettes. (J'en suis donc réduit à réinventer l'horizon, remplaçant une sorte de méli-mélo comateux par un trait net, comme un coup de lame de rasoir à la jointure supposée entre le ciel et l'eau – mais c'est une construction purement formelle qui ne m'est d'aucun usage, jamais mon invitée n'aurait l'indélicatesse de me pointer le lointain en me disant : est-ce que tu vois ce que je vois ?) Je porte également des mocassins blancs qui m'ont paru très chic aux pieds d'un grand de terminale qui traversait la cour du collège d'une foulée ample et légère (je m'y suis essayé sans grand succès, poussant sur ma jambe arrière ainsi qu'on s'évertuait à nous l'expliquer pendant le cours d'éducation physique, déroulant consciencieusement le pied, mais l'impulsion, mal dosée sans doute, se transformait en une force verticale qui me faisait faire à chaque pas un saut de cabri, me donnant la sensation élastique de fouler au ralenti le sol lunaire).

Quant à elle, elle ne se ronge plus les ongles, ce qui me permet d'y appliquer un beau vernis rouge qui lui donne un côté femme. J'ai même pensé à lui rajouter une légère vague bleue sur la paupière, mais dans l'ensemble elle est tout à fait reconnaissable. Il s'agit bien de la même jeune fille qui ramassait mes balles perdues et me tendait une tartine hybride. Elle a gardé sa jupe marine et son chemisier bleu pâle. Je n'ose pas encore la déshabiller. Même en rêve, au moment d'avancer la main, je trouve le moyen de rougir. Bientôt, quand nous serons plus intimes, après toutes ces soirées accrochés l'un à l'autre dans la pénombre du dortoir, bercés par le va-et-vient des vagues, j'en profiterai pour gonfler légèrement sa poitrine naissante, mais sans changer son chemisier, de sorte que ça provoque un peu de tirage entre le troisième et le quatrième bouton.

Mais, le temps passant, ses traits s'effacent. J'attends pour les recomposer une nouvelle invitation qui ne vient pas. C'est un autre camarade externe, tout aussi inconnu, qui s'en charge. Celui-là est champion intergalactique de ping-pong mais il n'a pas de sœur, ce qui m'oblige à ramasser moi-même mes balles égarées, et comme nous jouons dans un garage encombré et qu'elles vont se nicher partout, cela fait durer les parties plus longtemps. On semble cependant apprécier mon rôle de sparring-partner puisqu'on tient absolument à me revoir le jeudi suivant : oh maman, n'est-ce pas que mon nouveau camarade pourra revenir, j'ai si rarement l'occasion de m'entraîner sur des balles hautes.

Il se raconte de hauts faits sur le compte de l'amitié, et d'admirables, des serments à vie et des parce que c'était moi parce que c'était lui peu éclairants mais qui semblent effectivement être la condition *sine qua non*, mais de là à traverser une ville et changer deux fois de lignes de bus. Ça ne tenait pas debout, son histoire. Et ce n'est pas parce que sept ans plus tôt il m'avait invité dans son jardin du bord de mer à me ridiculiser, une raquette à la main. Entre-temps, j'avais vu juste dans leur jeu. Deux familles bien-pensantes s'étaient livrées à une sorte de compétition sur mon dos. Un pauvre petit pensionnaire venait de perdre son père : un petit orphelin tout neuf, c'est une épreuve que le Seigneur nous envoie afin d'éprouver notre chrétienne charité. Mes enfants, il vous faudra faire preuve de courage et d'abnégation, peut-être ce petit paysan mange-t-il avec ses doigts, mais il est de notre devoir de l'inviter. Et on sermonne la sœur aînée : tu seras gentille avec lui, tu ne riras pas de ses lunettes, tu ramasseras ses balles perdues, tu prépareras son goûter (et sans doute six autres commandements de cette nature pour faire le compte).

Et maintenant, mettez-vous à la place de la seconde famille, tout aussi nantie, tout aussi bien-pensante, quoique vexée de s'être fait souffler l'idée : eh bien, puisque c'est comme ça, nous l'inviterons deux jeudis consécutifs. La première famille eût pu surenchérir, trois jeudis d'affilée, mais la sœur et le frère avaient évidemment mis le holà. La sœur : je ne vais quand même pas passer tous mes jours de congé à courir après les balles de ce binoclard. Le frère : autant jouer contre un mur aveugle, au moins il renvoie la balle. Et encore, s'il n'y avait que sa maladresse, rajoute la sœur, rappelle-toi, cher frère, l'épisode de la tartine ? Et les voilà à nouveau secoués d'un inextinguible fou rire.

Ils avaient sans doute fini par épuiser les délices de ce lointain après-midi, et maintenant le frère, qui avait entrepris de longues études de médecine et se lamentait que son nouveau milieu fût ennuyeux (il n'avait qu'à choisir la littérature), après avoir traversé la ville, et même au-delà (la faculté des lettres était implantée à la périphérie, au milieu d'un terrain vague, à proximité d'un champ de courses, et la cité universitaire, plus loin encore), venait aux nouvelles, faire provision d'inédits auprès de l'inénarrable. Comme on n'échappe pas à son milieu, c'était plutôt en laborantin, en apprenti Pasteur, qu'il venait s'inquiéter des réactions de son bouillon de culture favori en milieu fermé : à savoir dans une cellule de quatre mètres sur deux, équipée d'un lit à une place, d'une table-bureau au plateau en stratifié ivoire, d'une chaise rembourrée de plaques de mousse, recouverte d'un skaï imitation cuir (mais vu l'exiguïté de la pièce on pouvait très bien s'asseoir sur le lit tout en travaillant à la table, pour peu qu'on aimât la position basse et écrire le nez au ras de la page – en cas de problème visuel, par exemple), et dans l'entrée – séparée de la chambre proprement dite par une demi-cloison de simili acajou –, d'un lavabo et d'un bidet (le réchaud bleu de type Butagaz sur la tablette au-dessous du miroir étant la propriété du locataire, ainsi que la petite casserole en émail crème, intérieur blanc, qui lui sert principalement à chauffer l'eau de son thé en sachet).

Sais-tu, chère sœur, qu'à peine avais-je franchi la porte de sa chambre il me regardait comme si j'étais envoyé par le KGB ou l'Amicale des anciens de Saint-Cosmes ? A croire qu'il avait quelque chose à cacher. Et d'ailleurs ce n'est pas impossible étant donné la manière dont à ma vue il a réagi, s'empressant aussitôt, comme faute de siège je m'asseyais sur son lit, de glisser les feuilles étalées sur sa table dans une chemise orange, portant un titre que je n'eus pas le temps de lire, mais un double prénom, quelque chose comme Etienne Marcel (mais quelle drôle d'idée de s'intéresser au prévôt des marchands), et ornée d'un dessin à la plume représentant d'une manière très stylisée pour ne pas dire sommaire un couple vu de dos, qu'il rangea dans un cartable, le même que je lui avais connu au collège, et d'ailleurs je t'en avais parlé. C'est une serviette à soufflets en cuir épais, couleur gris souris, qu'il affirme avoir appartenu à son père, lequel était représentant de commerce, et donc avait besoin pour ses classeurs, dossiers et autres catalogues d'une sacoche volumineuse et solide, qu'après sa mort son fils s'empressa de s'approprier, sous le prétexte qu'il pouvait ainsi transporter la totalité de ses affaires de classe. Car tu t'en souviens peut-être, si l'on oubliait un manuel ou un cahier, les sanctions pleuvaient, et les pensionnaires devaient y penser dès le matin, vérifier sur leur emploi du temps, souvent scotché ou agrafé au dos de l'abattant de leur bureau, les cours de la journée, et emporter les ouvrages en conséquence – l'accès de la salle d'étude où se trouvaient leurs casiers leur étant interdit dans la journée. Et donc lui, pour éviter ces désagréments – imagine qu'en cas d'oubli on restait, bras croisés, pendant toute l'heure de cours, avec interdiction de jeter un œil sur le livre du voisin (je me souviens qu'il lui était arrivé une histoire plus cruelle encore, et pourtant son recueil des Fables de La Fontaine, il n'avait pas omis de le glisser dans son cartable, car on nous avait prévenus que nous en aurions besoin pour la composition d'analyse logique, mais figure-toi qu'au lieu de nous faire travailler sur une fable, comment s'appelait-il déjà, Praslin ou Fraslin, nous donna à analyser un texte – et c'est pour cette raison que notre ami y vit une sorte de complot dirigé contre lui, et peut-être n'avait-il pas tort – tiré de l'introduction, quand lui n'avait pas la même édition que l'ensemble de la classe, et donc pas la même introduction, de sorte que Praslin ou Fraslin,

126

qui s'était contenté de nous indiquer un numéro de page, le renvoya à la liste de livres à acquérir qu'on nous avait distribuée en début d'année scolaire, refusant, quand c'eût été bien simple, de lui confier son propre exemplaire, et il récolta un zéro uniquement parce que ses parents avaient trouvé stupide de racheter un second livre de Fables, quand sa sœur aînée les avait déjà étudiées, estimant sans doute que d'une édition à l'autre on ne s'amusait tout de même pas à les changer, les fables) – et donc, comme il lui arrivait fréquemment d'oublier quelque chose, par distraction ou peut-être avait-il la tête ailleurs, et comme il en avait soupé d'accumuler pour ses oublis sanctions et heures de retenue, il avait inventé de fourrer tout le contenu de son casier dans ce qui était son héritage en somme, mais un héritage trop lourd pour lui, ce cartable, et, comme il était minuscule à l'époque, il devait replier le bras afin d'éviter qu'il traîne à terre (pas son bras, qui était proportionné, mais le cartable), ce qui faisait qu'il avait droit à des remarques moqueuses des plus grands et des enseignants qui le comparaient à un escargot, ou à une tortue : pourquoi n'emportait-il pas son lit, tant qu'il y était ? et son armoire ? Mais lui, tirant sa lourde charge, les yeux au bord des larmes (on ne pouvait rien lui dire, il pleurait à tout bout de champ, et, qui plus est, extrêmement susceptible), répondait comme il pouvait, par exemple que, grâce à sa méthode, non seulement il n'avait plus écopé d'une seule ligne pour un oubli, mais souvent les autres avaient été bien contents de trouver dans son fourre-tout ce qui leur manquait – et parfois ce pouvait être tout bêtement une cartouche de stylo – alors, avant de critiquer, il valait mieux y réfléchir à deux fois, ou ce genre d'argumentaire. Mais le retrouver avec son même gigantesque cartable, je nous ai revus, chère sœur, autour de la table de ping-pong, et comme nous en avons ri. Et d'ailleurs tu avais dû lui faire une sacrée impression ce jour-là. Après toutes ces années, il m'a demandé de tes nouvelles, ce que tu étais devenue, et là j'ai été un peu décontenancé, j'ai répondu, mets-toi à ma place, que je n'en savais rien – comment ça, je n'en savais rien ? – alors j'ai dit : au Ciel, peut-être. Et là, il m'a fixé et ce sont ses yeux qui se sont emplis de larmes. Là-dessus, il n'a pas changé, le même saule pleureur, et pourtant il doit avoir dix-huit ans maintenant puisque nous sommes du même âge. C'est donc moi, un comble, qui l'ai consolé. Il s'est du coup radouci et m'a offert un thé en s'excusant de n'avoir rien d'autre à m'offrir. J'ai refusé, prétextant que je l'avais suffisamment dérangé dans son travail, mais il m'a soutenu que, bien que les apparences fussent contre lui, il ne travaillait pas. Il assistait à tous les cours mais ne prenait jamais de notes, et donc n'avait rien à réviser et ne révisait rien. Une habitude qu'il aurait prise depuis qu'il a cessé de porter des lunettes. (Mon Dieu, tu te rappelles ? chaque fois qu'on voyait une poubelle on disait : tiens, son étui à lunettes). Comme il ne pouvait pas déchiffrer les inscriptions au tableau, même installé au pre-

mier rang, il avait décidé que les cours se feraient sans lui
– avec lui, mais sans lui. Comment dans ses conditions a-
t-il réussi à passer ses épreuves de mathématiques, physique
et chimie, quand on sait que les tableaux à la fin d'une
heure de cours sont couverts de démonstrations et de formules, qu'il est bien nécessaire d'apprendre et de retenir ?
C'est un mystère qui me fait douter de sa prétendue myopie. Lui affirme qu'il a eu de la chance, et que c'est pour
cette raison, sachant qu'elle ne se représenterait pas une
seconde fois, qu'il a bifurqué vers des études littéraires. En
attendant, myopie ou pas, je lui fis remarquer qu'à mon
arrivée je l'avais tout de même surpris en plein travail. Non,
non, insista-t-il contre toute évidence. N'était-il pas en train
d'écrire ? Oui, bien sûr, mais il s'agissait d'autre chose. Je
me suis alors souvenu qu'à Saint-Cosmes il s'était fait une
petite réputation de rimailleur, capable d'aligner cent
alexandrins moqueurs sur le dos d'un surveillant, ou de
composer un sonnet sur la pluie. Il avait même, suite à la
mésaventure dont je t'ai parlé, écrit une fable à la manière
de La Fontaine dont la morale était quelque chose comme :
la morale ? Il n'y a plus de morale. Ça m'est revenu parce
qu'il s'était fait prendre, que Praslin ou Fraslin avait lu le
texte en classe et, s'arrêtant juste avant le dernier vers, avait
poursuivi en inscrivant au tableau : Moralité : analyse
logique du livre I des Fables de La Fontaine.

Sans lui remettre en mémoire cet épisode, je lui ai donc
demandé s'il écrivait toujours.

Ainsi mon premier amour s'était noyé. Et pourtant, bonne nageuse. Comme quoi, la mer ne vaut rien de bon, même pour les poissons. Elle avait englouti son corps de danseuse qu'elle avait rendu à la famille quelques jours plus tard, jeté sans ménagement, comme une branche morte, une bouteille ou une pelure d'orange, sur la plage même où nous organisions nos concours de saut en longueur et où longtemps j'avais espéré qu'après notre rencontre, poussée par le désir de me revoir, et sachant que cet endroit constituait le but de nos promenades, elle viendrait me retrouver. Etalant sa serviette non loin du groupe, s'enduisant de crème solaire tout en lançant de temps en temps un regard admiratif vers mes envolées célestes (ne pouvant faire valoir ma science du dribble dans le sable, j'ai choisi de garder les buts), elle m'aurait rapporté la balle de mousse qu'innocemment j'aurais laissé filer en dépit d'un plongeon magnifique destiné moins à empêcher l'équipe adverse de marquer qu'à ce qu'elle atterrisse comme un hommage à ses pieds de danseuse. Une balle que je ne veux plus rendre maintenant qu'elle est enduite d'un peu de la crème parfumée qui couvre ses bras, ses jambes, ses épaules (elle est bien trop sage pour demander l'aide que réclamerait l'huilage de son dos), et que je serre très fort contre moi, comme si c'était une partie d'elle, mais en fait plus personne ne s'intéresse au jeu maintenant que notre spectatrice favorite traverse la plage dans son maillot deux-pièces, slip marine et haut bleu ciel, inspirés de son uniforme de jeannette, rejetant ses longs cheveux en arrière, avant de plonger, tête la première, dans les rouleaux, d'émerger quelques mètres plus loin et de s'éloigner à la force de ses bras jusqu'à bientôt disparaître à nos yeux.

Et c'est ainsi que la mer l'avait avalée, au cours de son seizième été, alors qu'elle nageait au large, seule, et que, prise d'une crampe sans doute, elle avait dû appeler en vain, essayant peut-être d'attirer l'attention de ce groupe de pensionnaires jouant sur la plage. Mais des gesticulations, des cris tout à fait inutiles : même dans mes rêveries, je ne me portais jamais au secours d'une femme en train de se noyer. A quoi bon, si vous ne savez pas nager.

J'aurais aimé demander à mon camarade s'il avait sur lui une photo de ma danseuse sirène. Ses traits s'étaient définitivement brouillés, et je ne gardais plus que le souvenir de ses longs cheveux – un peu aussi de sa jupe marine et de la naissance de ses cuisses quand elle se penchait à la recherche de mes balles perdues dans l'herbe haute du jardin, mais ce n'était pas forcément un souvenir d'origine. Avaient pu se greffer sur cette image enfantine d'autres visions plus tardives, de robes soulevées par le souffle d'une bouche d'aération, par exemple, que le cinéma, via la télévision, entrée dans la maison quelques années plus tard, avait relayées. Il m'était encore plus difficile de vieillir de quelques années le visage flou de la noyée en m'arrêtant au bord de ses seize ans, c'est-à-dire à cette extrémité de l'enfance qui dessine déjà la femme à venir.

Je m'étais tellement appliqué, soir après soir, dans la pénombre claire du dortoir, à composer son portrait-robot réactualisé à mesure que le temps passait et que s'estompait ses traits, me préparant sans doute par ce lifting à l'envers à une nouvelle rencontre, pour laquelle, plus mature, je m'accordais une seconde chance, qu'au moment de sortir la chemise orange de mon cartable à la demande de mon camarade je fus bien obligé de reconnaître que cette silhouette dessinée de dos, d'un coup de crayon maladroit, c'était elle encore, et donc qu'elle avait survécu inconsciemment à sa dissolution et à l'accumulation de mes rêveries : jeune femme aux longs cheveux lâchés tombant jusqu'à la taille, donnant le bras à un homme en queue-de-pie et chapeauté d'un haut-de-forme canaillement incliné sur l'oreille, tenant par le goulot dans sa main droite une bouteille d'alcool, style flacon d'armagnac, de forme circulaire et plate, qui, étant donné la maladresse du trait, pouvait tout aussi bien évoquer une raquette de ping-pong.

Car, officiellement, le jeune homme en habit de gala se présentait comme un clone de Rimbaud (le crayonné étant censé rappeler les dessins fantaisistes de Delahaye, croquant son ami parcourant le monde à longues enjambées), ce que le titre rendait d'une manière guère plus explicite : Jean-Arthur ou La même chose. Allusion également peu claire à l'apostrophe des buveurs, c'est-à-dire remettez-nous ça, à savoir, ici, la vie, et donc il fallait comprendre que ledit Jean-Arthur avait survécu à l'amputation de sa jambe (laquelle sur le dessin était remplacée par un pilon, style capitaine Achab ou Long John Silver), et j'expliquai à mon camarade, que, de retour au pays (les femmes soignent ces féroces infirmes etc.), il retrouvait la sœur d'un de ses amis d'enfance, laquelle avait rêvé de cet aventurier dont lui parlait sans cesse son frère, et il cherchait à l'éblouir en lui contant ses aventures alors qu'ils s'étaient tous deux installés sur un banc public, n'hésitant pas à en rajouter : l'Afrique, la chaleur, le désert, les anthropophages, les lions, le trafic d'esclaves, la terre dans les sacs de café, les belles Abyssiniennes, et elle, ingénue, attentive : pourquoi n'en faites-vous pas un livre ? je me souviens que mon frère avait recopié dans un cahier un sonnet sur la pluie dont le premier vers commençait ainsi : La pluie est une compagne. N'est-ce pas de vous ? Et au moment où le poète présumé répondait : des rinçures, tout ça n'était que des rinçures, me sentant rougir, et le frère de la belle noyée s'apercevant de ma confusion, et au lieu de m'aider regardant sa montre : je ne vais pas te retarder davantage, puis ajoutant quelque chose comme : quoi qu'il en soit, maintenant tu sais comment l'histoire se termine, et sur ses mots se levant, avouant brusquement qu'il n'irait sans doute pas non plus au bout de ses études de médecine, qu'il avait envie de tout arrêter, de partir, de faire berger. Quoi ? Berger ? et au lieu de rester sur cette exclamation stupéfaite vous croyez malin d'ajouter qu'au train où vont les vocations on manquera bientôt de moutons, ce qui le fait sourire un quart de seconde – au-delà, c'eût été un exercice de compassion visiblement au-dessus de ses forces –, juste le temps de se retourner et de poser la main sur la poignée de la porte.

Et maintenant vous êtes à nouveau seul dans votre chambre dont la fenêtre composée de deux panneaux coulissants à l'encadrement d'aluminium donne sur d'autres immeubles semblables, empilement de cellules toutes identiques à celle-ci, architecture bégayante, ressassant le même pauvre motif, poème composé du même pitoyable vers mille fois reproduit. Vous vous demandez après le départ de votre camarade si vous n'êtes pas passé à côté d'une bonne occasion, qu'au lieu de soupçonner tout un chacun de jouer les espions il faudrait peut-être s'enfoncer dans le crâne qu'il existe aussi des gages désintéressés d'amitié, comme de traverser une ville en changeant deux fois de bus simplement pour venir aux nouvelles, lancer un clair et sonore quoi de neuf ? et la réponse pourrait être que bien sûr ceci cela mais en attendant je suis heureux de te voir, et d'ailleurs je comptais bien faire en sens inverse le même chemin.

Car c'est, paraît-il, ce qui se fait, sans mystère, sans arrière-pensées. C'est pourquoi vous vous sentez si démuni de ne pouvoir accomplir des actes aussi élémentaires, alors que vous enviez ces groupes de jeunes gens qui se rassemblent, boivent, rient, s'embrassent, voyagent, se déchirent, se réconcilient. Vous avez beau affecter envers ceux-là le plus total dédain, des mines supérieures et une incompréhension devant ce genre de comportements collectifs, vous donneriez beaucoup pour vous joindre à eux, ce qui à cet âge semble être la norme, au lieu que seul dans votre coin vous aboutez des phrases, faites rimer des bouts de chanson et, courbé sur le corps d'un instrument de musique en vogue, rêvez à des lendemains prodigues où vous vous délecterez comme d'un doux renversement de situation (les derniers seront les premiers) de votre nom instillé dans le cœur des foules.

Mais pour l'heure vous en êtes à vous convaincre que ce thé qu'on vous a refusé, c'est une chance : eût-il été déjà bu, vous étiez privé de votre unique recours. Cette cérémonie sans manière du thé, c'est, dans le milieu de votre journée, un quart d'heure de sauvé, d'arraché à la tristesse et à la solitude, une somme de petits faits qui méthodiquement mis bout à bout comblent momentanément un sentiment d'ennui qui ne vous lâche pas : l'eau versée dans la casserole ivoire, choisie pour son format réduit (le plus petit modèle, celui qui s'emboîte tout en haut d'une série de casseroles empilées), l'allumette que l'on craque et sur laquelle on souffle délicatement en l'approchant de ses lèvres après qu'elle a embrasé le brûleur du réchaud, le chuintement familier du gaz sous pression, la couronne de flammes bleues comme un petit coussin tenace contre l'envahissement précoce de la nuit d'hiver, le cliquetis de la casserole cognant contre les étriers d'inox, le sachet de thé en attente dans le déjeuner de porcelaine blanche, de forme droite, serti d'un liseré corail soulignant le bord supérieur, l'étiquette pendant à l'extérieur (s'il arrive qu'elle glisse dans la tasse au moment de verser l'eau frémissante de la casserole, elle déteint rouge et jaune, soit mordoré, à peu près la couleur du thé, ce qui est préférable à une dilution verte ou bleue, mais afin d'éviter ce désagrément le plus simple et le plus efficace consiste à enrouler le fil reliant le sachet à l'étiquette autour de l'anse du déjeuner). Comme ce rituel perdrait tout son sens sur un coin de table, à la sauvette, car il se doit d'être souligné, appréhendé avec le plus d'intensité possible, l'espace central du bureau a été au préalable dégagé, désencombré de ses livres et de ses papiers, une serviette blanche dépliée en guise de nappe. Chaque geste est calculé de manière à gagner une poignée de secondes, comme cette façon de tester du bout des lèvres, sans se précipiter, le nez plongé dans le nuage de vapeur qui monte de la tasse, la température du thé, puis de le boire à petites gorgées, non tant pour le plaisir qu'il donne, ce n'est vraiment pas un thé de grande qualité, mais parce qu'il vous semble ainsi tenir le temps à distance, son goutte-à-goutte insidieux et son art du vide.

Mais le temps sait se défendre, compressible mais pas trop. Une espèce de loi de Mariotte appliquée à son écoulement vous empêche d'en user à votre guise. Vous avez beau faire, étirer au maximum chaque geste de ce rituel, et même surchauffer votre eau de manière qu'elle mette davantage de temps à refroidir, au final, dernière gorgée avalée, tasse lavée, il ne s'est jamais écoulé qu'une quinzaine de minutes, et nous sommes loin encore du repas du soir. Devant vous s'étire une plage de deux heures que vous ne savez trop comment occuper, pendant lesquelles vous passerez de votre table au lit, de l'écriture de trois mots sitôt raturés à l'exécution des mêmes accords de guitare excédants à force d'être ressassés. Car rien ne dure, l'ennui submerge tout – et même la rêverie.

Cet espace béni à la frontière de la nuit, qui a adouci vos années de collège, a perdu son pouvoir de consolation maintenant que le temps offert à foison et l'absence de contraintes en ont banalisé l'usage. Il vous est même arrivé de vous rebeller contre les forces de l'imaginaire, comme Michel-Ange apostrophant son Moïse, de pleurer de rage devant ces futiles constructions de l'esprit. La solitude n'a pas son pareil pour rendre les choses vaines.

L'année précédente, la dernière à Saint-Cosmes, profitant d'une libéralisation du régime (le passage, pour les internes des classes terminales, du dortoir à la chambre individuelle), vous vous êtes initié clandestinement à la guitare, comme quatre-vingt-dix pour cent de votre tranche d'âge (les dix pour cent restants ayant reçu du fait de leur éducation des cours de piano). Les notes médiocres récoltées

138

pendant l'année savent combien cette scie musicale, se substituant à l'étude des mathématiques, vous a coûté. Mais peu en définitive au regard de ce bonheur paradoxal d'être singulier comme tout le monde, d'échapper à son exil intérieur et de sortir de soi. Ce à quoi vous aviez un peu goûté autrefois lorsque vos alexandrins ironiques, sortes de samizdats intrépides moquant les tics des autorités du collège et leurs travers, circulaient derrière les abattants relevés des bureaux, vous valant parmi vos pairs un statut particulier de quasi-poète officiel. Mais les vers, il suffit de compter sur ses doigts, et pas plus loin que douze, les mots tombent d'eux-mêmes, se bousculent, passent des auditions, vous n'avez que l'embarras du choix. Finalement, et quoi qu'on dise ici ou là, ce n'est pas la mer à boire. Tandis que parvenir à sortir un bouquet harmonique de six cordes métalliques qui vous cisaillent le bout des doigts au point qu'à la longue il vous pousse de la corne, il y a dans cet acharnement musical sinon de la grandeur, du moins du mérite. Vous posez l'index sur telle case, telle corde, et le majeur sur telle autre et telle autre, et l'annulaire, et avec l'auriculaire vous avez encore la possibilité de quatre ou cinq variations, le tout au prix de crampes douloureuses au pouce, obscur sous le manche dans son rôle de serre-joint.

Et ceci rien que pour la main gauche. Or la droite n'est pas en reste, même si dans un premier temps elle se contente de s'abattre comme une faux sur le plan des six cordes, si possible en cadence, remettant à plus tard ces doigts qui arpègent, tricotent, butinent, picorent. Le principal étant d'obtenir un son homogène, qui ne donne pas l'impression d'être produit par une vieille bicyclette déjantée, couinante et quincaillante. Et maintenant que les quatre doigts sanguinolents de la main gauche parviennent à rendre un accord presque parfait, à tel point que vous ne vous lassez pas de le jouer et de le rejouer, c'est aussi le signe qu'il est temps d'en changer, dans la mesure où vous tenez à exécuter des morceaux qui ne soient pas essentiellement répétitifs. Et c'est là que tout se complique. Prenez deux accords : king et kong, par exemple. Si, après avoir joué king, kong met trop longtemps à se mettre en place, il se trouvera toujours une oreille attentive pour remarquer que vous n'avez pas le sens du rythme. Vous chargez donc un camarade du devoir de physique que vous n'aurez ensuite que le mal de recopier, et pendant ce temps inlassablement sur le métier remettez votre ouvrage. Tring-trong, kring-dong, ding-vrong et finalement : king-kong.

Voilà, vous savez jouer, suffisamment du moins pour passer à l'étape suivante : l'accompagnement, c'est-à-dire que sur ces mêmes accords vous avez désormais la possibilité de chanter, non pas à tue-tête (un chanteur débutant a plutôt tendance à évoluer dans la confidence), mais d'une voix aigreletement nasillarde, des chansons violemment contestataires, des hymnes ravageurs, qui, en remettant en cause l'ordre établi, font beaucoup de tort à la classe possédante.

A dire vrai, celles-là, vous les cautionnez du bout des

lèvres, elles vous gênent même un peu (leur manque de nuance, sans doute), mais, pour ne pas être définitivement sur la touche, vous vous forcez à entonner l'air du temps, une compromission inesthétique qui ne témoigne pas d'un grand courage, mais la solitude est vraiment insupportable. Et comment expliquer, sans passer pour un piteux contre-révolutionnaire, que vos préférences vont plutôt aux chansons tendres, votre côté fleur bleue, cultivé en secret sur les plates-bandes des nuits de Saint-Cosmes ? Et d'ailleurs, à peine possédez-vous sur le bout des doigts deux ou trois accords, que vous composez.

C'est fait : en deux temps, trois mouvements et une kyrielle de mauvaises notes : quatre romances. Mais comment et à qui les faire entendre ? Vous êtes, rappelez-vous, d'une timidité maladive, de celle qui ne favorise pas la prise de parole en public sur le mode : et maintenant je vais vous interpréter une chanson de ma composition, textes et musique (sous-entendu suggéré : il sait tout faire, ce charmant jeune homme). L'occasion se présente lors d'une fête de village, à Random. Non pas sur la scène du théâtre (un vrai, à l'italienne, sans stucs ni dorures mais avec coulisses, cintres et machinerie), mais juste en dessous, c'est-à-dire sous les planches que martèle une jeunesse pleine d'entrain, de sorte que vous entendez vos camarades à l'étage supérieur débiter leurs textes, et le corps des ballerines piétiner, et les musiciens – un groupe d'inspiration anglaise – exécuter.

Une âme charitable vous a traîné jusque là. Evidemment charitable, car il a fallu sans doute vous prier avant que vous ne daigniez accepter (à votre décharge, il vous est difficile d'expliquer que vos réticences n'ont d'autres raisons que la peur et la honte de paraître godiche, emprunté, bonnet de nuit, sinon vous y seriez déjà). La jeunesse, c'est un style, et cela crève les yeux que vous n'avez pas la manière. Alors, à peine arrivé dans les coulisses du théâtre, après avoir vaguement salué les uns et les autres (lesquels s'en étonnent peut-être, se souvenant qu'il y a peu vous n'avez pas consenti à répondre à leur bonjour, ne pouvant imaginer que de l'autre côté de la rue ils n'existent pour vos yeux qu'à l'état de probabilités, c'est pourquoi vous avez pris l'habitude de baisser la tête plutôt que de saluer à l'aveuglette des contours brumeux qui se révèlent être parfois de parfaits inconnus, stupéfaits de cette attention que leur porte un étranger – mais vous entendez déjà les commentaires dans votre dos : il est lunatique, dit bonjour quand ça lui chante, un coup oui, un coup non), vous avez été tout heureux de dénicher une guitare dans un coin : enfin de quoi faire bonne figure, se donner une contenance, se présenter sous un jour inédit et favorable. Et donc, en espérant discrètement qu'on vous remarque, le pied droit posé sur une chaise paillée, la tête penchée à hauteur des cordes, vous avez commencé d'abord à jouer, puis à marmonner – (king) il pleut sans cesse sur la ville / (kong) et mon amour est si fragile – tandis que les jeunes artistes s'agitent côtés

142

cour et jardin, se bousculent, vous heurtent le coude au passage, apparemment modérément inquiets de la fragilité de vos amours.

Enfin quelqu'un s'aperçoit de vos talents, écoute, et certainement va vous demander qui est l'auteur de cette merveilleuse chanson, mais, vous interrompant sans égard pour vos amours, il vous explique qu'il aimerait bien apprendre à jouer de la guitare, ne pourriez-vous pas lui donner des cours ? vous obligeant à répondre que vous avez appris tout seul, mais que s'il insiste vous lui copierez l'emplacement des doigts sur le manche pour king et kong, avant de reprendre vexé, depuis le début, votre chanson interrompue (vous n'êtes pas de ces musiciens qui repartent comme si de rien n'était de la treizième mesure). Puis c'est une majorette, angoissée à l'idée de s'emmêler dans ses pas de danse, qui entreprend de répéter sous votre nez (dans les cordes) en levant très haut et alternativement les cuisses, ce qui n'aurait pas de conséquence directe sur votre jeu, qu'une accélération du rythme cardiaque, si, se saisissant de sa canne, elle ne la faisait habilement tournoyer entre ses doigts, et là sentant le danger, votre amour déjà fragilisé risquant d'être bientôt assommé, vous décidez d'un repli stratégique à l'étage inférieur, emportez la guitare et la chaise, descendez l'étroit escalier poussiéreux et choisissez de vous installer non loin du trou du souffleur, entre les colonnes qui soutiennent la scène.

L'endroit, vous le connaissez bien. Ça vous revient, à présent. C'était votre vieille tante Marie qui compensait la mémoire défaillante des interprètes amateurs, si bien qu'avec vos sœurs c'était un privilège de s'asseoir à côté d'elle, à chacun son tour, sur le banc de bois, et les yeux à hauteur du plateau d'assister aux représentations. L'une d'elles notamment vous a impressionné : L'Evasion de Saint-Pierre, où saint Pierre (un contremaître de la laiterie, outrageusement maquillé, les orbites charbonneuses, la bouche et les pommettes peinturlurées comme sur le sentier de la guerre, et vêtu d'une courte tunique en haillons taillée dans un sac en toile de jute), effondré sur le sol de la prison de la Mamertine derrière de hautes grilles de cirque, faisait jaillir une source afin de pouvoir baptiser ses geôliers (un tuyau d'arrosage propulsait par une trappe un puissant jet d'eau qui s'écoulait ensuite par la guérite du souffleur), avant d'être délivré par deux anges (dont le facteur, reconnaissable à sa moustache qu'il n'avait pas voulu raser pour la circonstance, se contentant de la poudrer couleur chair). Ainsi, grâce à une parfaite connaissance des lieux due à la fréquentation d'auteurs dramatiques aussi incontestables que Georges Ohnet ou Paul Féval, vous commencez à chanter vos compositions en espérant (c'est sans doute une première dans l'histoire du music-hall : se produire sous une scène devant une salle pleine sans que celle-ci s'aperçoive de quoi que ce soit) que le son montant se faufile par le trou du souffleur et charme l'oreille des premiers rangs ou, à défaut, d'une majorette. Le groupe

144

d'inspiration anglaise prenant la suite, toutes leurs guitares étant électrifiées, vous abandonnez bientôt la partie. Qu'il pleuve sans cesse sur la ville, il n'y a pas de quoi s'alarmer au bord de l'Atlantique, mais votre amour si fragile en a vraiment trop vu.

Pour grand-mère, cela suffisait, ces quelques accords, à faire de moi un musicien. A ses yeux, je reprenais le flambeau familial abandonné par grand-père à sa mort, aucune de ses trois filles, à son grand désespoir, n'ayant persévéré dans l'étude de son instrument, lui qui avait rêvé de composer un jour, après avoir enseigné à l'une le violoncelle et aux autres l'alto et le piano, un quatuor dont il eût assuré la partie de violon. Grand-mère avait remarqué au cours de sa longue vie que souvent les passions et les talents sautaient une génération et, comme ceux devant qui elle émettait le fruit de ses réflexions paraissaient du même avis, il fallait donc imaginer un gène de la musique jouant à saute-mouton par-dessus les trois filles pour retomber nettement affaibli par ce bond spatio-temporel sur la tête d'un petit-fils d'Alphonse.

Ainsi rien ne se perd. Ce concept économe, tout à fait en phase avec les principes de vie en vigueur dans la famille, était tout de même à relativiser quand on passait de Mozart à king-kong. Mais enfin, grand-mère pouvait toujours attribuer cette déperdition aux nouveaux canons de la modernité. Et après m'avoir entendu, ou du moins avoir aperçu sur une chaise de la cuisine, bien en évidence, la guitare d'occasion en bois de récupération que je rendais responsable de mon jeu approximatif, elle décidait que le violon de grand-père qui n'était pas sorti de sa boîte depuis une dizaine d'années me revenait naturellement puisqu'il apparaissait que j'avais hérité de ses dons. A sa décharge, grand-mère n'avait jamais eu l'oreille musicale.

Toute sa vie elle avait feint de se désintéresser de ce qui avait été la grande passion de son époux et entre eux une source de conflit – son acte de rébellion le plus célèbre étant d'avoir brisé la flûte d'un représentant de commerce qui jouait en duo avec Alphonse au moment où l'une de ses filles, à l'étage supérieur, accouchait. Elle semblait pressée de se débarrasser de la totalité des souvenirs musicaux de son défunt mari, puisqu'en même temps que le violon elle me concédait l'ensemble des partitions ainsi que ses notes et cahiers, parmi lesquels des cours de fugue et de contrepoint suivis au conservatoire de Paris lorsque, jeune homme monté à la capitale exercer au plus haut niveau ses talents de tailleur et peaufiner son apprentissage, il en avait profité pour étoffer son prix local de violon. Ce qui revenait, me concernant, à léguer une encyclopédie à un analphabète.

Si bien que, ne sachant qu'en faire, le violon est resté longtemps dans sa boîte, une sorte de petit cercueil de bois noir, effilé, de forme isocèle, aux angles arrondis, couvercle

147

à deux pans surmonté d'une poignée de cuivre rabattable et fermé sur le côté par une double ferrure. L'ensemble serait resté en l'état, c'est-à-dire un de ces objets inutiles dont on n'ose se débarrasser, parce que trop rare ou du moins trop chargé de souvenirs, sans une ritournelle à la radio, un air de danse celto-berrichon ou quelque chose de ce genre, vieille rengaine remise au goût du jour, mais qui apparemment ne devait pas réclamer, son exécution, de longues années de conservatoire. D'autant que sur la pochette du disque acheté pour la circonstance (le groupe posant autour d'une charrette de foin tractée par un cheval, lui-même coiffé d'un chapeau tyrolien), la violoniste (longs cheveux frisés, corsage blousant, jupe large), perchée debout tout en haut des gerbes, avait réglé le problème délicat de la tenue classique de l'instrument (coincé entre le menton et l'épaule, occasionnant, outre un goitre inesthétique, une douloureuse contraction des tendons du cou ainsi qu'un contact désagréable de la caisse sur la clavicule – d'où le chiffon amortisseur utilisé par certains virtuoses) en le posant directement sur son sein. Mais même sans ce coussinet pratique c'était la démonstration qu'on pouvait tirer quelques sons de cet instrument sans avoir suivi un enseignement officiel, la règle d'or consistant simplement à jouer le plus vite possible de manière à n'avoir pas à s'attarder sur une note, laquelle, sans la vibration imprimée sur la corde par un doigt parkinsonien, émet alors un long couinement de fausset. Pour le reste, il est dans les cordes de n'importe qui de jouer approximativement faux.

Ce à quoi je m'appliquais dans ma chambre de la cité universitaire, ayant pris soin de fixer une sourdine sur le chevalet, considérant, avec raison sans doute, que / la laine de nos moutons c'est nous qui la tondaine / la laine de nos moutons c'est nous qui la tondons / n'était peut-être pas du goût de tous mes voisins, lesquels pouvaient préférer Mozart, par exemple (c'est-à-dire le violon sous le menton), ou encore le silence, qui sied assez bien aux études, au lieu que je revenais inlassablement à mes moutons. Bien que m'évertuant à donner un tour guilleret à mes gammes bucoliques, un aspect dansant, je m'attendais à tous moments à des coups protestataires frappés contre la cloison ou au plafond, de sorte que, lorsqu'ils furent portés à ma porte, je crus la dernière heure de mes moutons arrivée, ce qui me désolait car j'étais loin d'en avoir terminé la tonte.

Bien sûr, j'aurais dû le reconnaître, en dépit des cheveux longs et des années passées, ne serait-ce qu'à ce verre de lunettes enfoncé dans l'orbite, à croire qu'il avait une oreille légèrement en retrait de ce même côté, décalée juste d'un petit centimètre peut-être, mais, faute de pouvoir intervenir sur la longueur de la branche (c'était une monture standard tout âge et sexe confondus), le verre ainsi tiré en arrière se trouvait plaqué contre l'œil. Et puis cette voix, plus grave évidemment, la mue était passée par là, mais aux intonations identiques, cet accent des faubourgs qui traîne sur certaines syllabes, d'autant plus surprenant qu'en fait de faubourg Gyf n'avait jamais vécu qu'à la campagne, ou peut-être un reste de son passage à l'orphelinat, la gouaille arrogante des laissés-pour-compte. Mais il ne venait pas comme le frère de la noyée pour une tentative de réunion des anciens de Saint-Cosmes, ni même pour protester contre le vacarme, lui, ce qui l'intéressait, c'était justement le violon. J'avais donc bien fait de ne pas abuser de la sourdine. D'autant que d'emblée il m'annonçait la raison de sa visite : il aurait peut-être besoin de mes services. Voilà qui me flattait mais, passé le moment d'exaltation, à qui voulait-il faire croire une chose pareille ? Qui pouvait avoir besoin de moi ? J'avais bien raison de me méfier. Les espions pullulaient dans le coin. Décidément je regrettais moins d'avoir expédié sans ménagement l'ex-champion du monde de ping-pong. On m'envoyait maintenant un pseudo-imprésario.

Sans même attendre une invitation à s'asseoir, il prenait place sur le lit dans la position du lotus (en fait, en tailleur, mais on venait de découvrir la route des Indes) et m'engageait à reprendre la tonte de mes moutons. Ce qui l'intéressait, c'était d'abord de s'assurer que je jouais bien en mesure. C'était un peu délicat. J'avais beau battre du pied en cadence, mon pied était solidaire de ma manière de jouer, ce n'est pas lui qui allait s'amuser à me faire des remarques sur d'éventuelles modifications de rythme. Il s'adaptait, et comme je n'avais pas d'autre danseur, on pouvait prendre, mon pied et moi, quelques libertés avec les tempi. Cette audition impromptue n'était donc pas sans risque.

Je commençai par coincer le violon sous le menton pour donner le change et, archet en main, entrepris de dévider mes pelotes de laine sous le regard attentif de mon juge qui se mit soudain à battre des mains sur le bord du bureau. Stop. Il me fit tout de suite remarquer, après s'être emmêlé les doigts, que ça ne collait pas du tout. J'expliquai que pour ce type de morceau j'avais eu tort en fait de prendre la pose classique, et, calant le violon au-dessus de ma poitrine, en notant au passage que ce n'était pas sans raison que tous les violoneux des campagnes procédaient de la sorte, je réclamai qu'il m'accordât une seconde chance. La laine de nos moutons, c'est nous qui la tondaine, la laine de nos moutons c'est nous qui la tondons. L'archet rebondissait sur les cordes, les doigts de la main gauche rencontraient de temps en temps une note juste et cette fois le percussionniste parut satisfait. Il se leva et, me faisant signe de poursuivre d'un geste du bras moulinant dans l'espace, prit une posture avantageuse, cambra la taille et entama, les mains sur les hanches, quelques pas de danse virevoltants dans la ruelle entre le lit et la table, le regard portant loin, tout en tapant de temps en temps le sol du pied, tondons tondons, tournoyant vers la fenêtre, c'est nous qui la tondaine, revenant en évitant habilement le coin du sommier, tondons tondons, tapant à nouveau plus fort du pied,

151

lequel pied, une fois dans la corbeille à papiers, c'est nous qui la tondons, il trouva que c'était assez. Mais l'essai semblait concluant : c'est dansable, dit-il, en remettant dans la corbeille les papiers chiffonnés, parmi lesquels je reconnus des brouillons abondamment raturés de mon Jean-Arthur.

Il en profita pour me demander si j'avais d'autres morceaux à mon répertoire. Alors, là, il tombait bien. Sur le modèle des moutons et de la ritournelle, j'avais composé plusieurs airs qui donnaient l'impression de venir tout droit d'un melting pot celto-auvergnat, d'authentiques faux sur lesquels et sur ma lancée je me proposais même, s'il le souhaitait, d'écrire des paroles non moins garanties d'origine. Mais en fait il ne le souhaitait pas, il avait juste besoin d'une bande-son pour un petit film en huit millimètres qu'il venait de tourner. Du coup je comprenais mieux le choix de ses lunettes : j'avais affaire à un artiste.

Son film n'avait pas de sujet – et je regrettai sur-le-champ de m'en être informé –, du moins au sens qu'il ne racontait pas d'histoire. C'était plutôt une sorte d'allégorie, si je voyais ce qu'il voulait dire. Je voyais, bien sûr, mais, craignant de mal interpréter sa pensée, je demandai quelques éclaircissements. Je comprenais que raconter une histoire fût un symptôme réactionnaire destiné à empêcher les masses de prendre conscience de leur condition d'exploitées tout en les abreuvant de modèles contre-révolutionnaires, mais les images, n'y avait-il pas un risque à ce qu'elles parlent d'elles-mêmes ? Autrement dit – et tout en étant prêt à reconnaître que le terme d'images n'était peut-être pas adapté à son type de cinéma –, on y voyait peut-être quelque chose. Effectivement : une ambiance. Du coup je saisissais mieux le projet de mon nouvel ami, mais, et c'était, j'en convenais, incorrect d'insister, mais une ambiance de quoi ? Utilisait-il des acteurs, par exemple ? Avant même d'attendre sa réponse je me corrigeai : par acteurs je voulais dire intervenants. Je préfère, dit-il. Je l'avais échappé belle. En fait, concéda-t-il, la création était d'abord pour lui une occasion de faire la fête : faire un film ou faire l'amour, c'était la même chose. Il n'était donc pas question de diriger, au sens fasciste du terme – je me récriai : jamais je n'avais laissé supposer une chose pareille, ce dont honnêtement il convint –, mais de permettre à chacun d'exprimer sans fard, sans retenue, ses propres pulsions créatrices. Ça doit donner un film intéressant, conclus-je. Intéressant n'était pas le mot (non, bien sûr, mais je n'avais vraiment pas toute ma tête ce jour-là), d'ailleurs le résultat à ses yeux n'avait aucune importance : serrer un boulon ou composer une fugue de Bach, pour lui c'était du pareil au même, seul l'acte comptait, mais de toute manière il était trop tôt pour le savoir, lui-même ne l'ayant pas encore vu, son film.

La démonstration était éclairante, le résultat n'ayant aucune importance, il ne s'était pas même donné la peine de le visionner. Cet acte-non-acte participait encore de l'acte créateur. De plus, s'intéresser à son œuvre entrait

153

dans une logique d'intérêts et donc de profits, doublée d'un contentement petit-bourgeois de sa personne. J'étais très satisfait, dialectiquement parlant, de montrer que je commençais à comprendre deux ou trois choses quand il m'arrêta : il était deux cents pour cent d'accord avec moi mais il se devait cependant de préciser que, s'il n'avait pas vu son film, c'était qu'il n'était pas encore développé. Le tirage du négatif coûtait les yeux de la tête, et en ce moment il était raide. Toutefois il escomptait une rentrée sous peu : un stock de couverts en argent découverts dans le grenier de la grand-mère d'une copine qu'il se proposait de vendre aux Puces. Et la chose une fois réalisée, aurais-je une chance de la voir ? Ça allait de soi, sinon il ne serait pas là. Mais, avant de m'expliquer mon rôle – ah bon, j'allais jouer ? –, il me demandait si je n'aurais pas quelque chose à boire. Rien d'autre que du thé. Mon directeur de casting grimaça. Il suggéra que nous poussions jusqu'au café du coin (le coin étant tout de même distant de la cité d'un bon kilomètre).

Ledit café s'appelait Au Bon Pêcheur, souvenir du temps
où, à l'écart de la ville, coulait une rivière qui attirait les
amateurs. La rivière avait été en partie comblée, en partie
transformée en égout, et peu à peu la ville s'était rappro-
chée de la guinguette qui n'avait dû son salut qu'à l'implantation d'une faculté de plein air composée principalement
de bungalows disséminés au milieu des bois, ce qui, en
dépit des protestations, valait bien le béton. Les patrons
s'étaient donc reconvertis d'urgence, alors qu'ils voyaient
l'heure de la retraite sonner, en zélateurs de la folle jeunesse. Ils ne manquaient pas de répondre joyeusement aux
plaisanteries, tandis que madame Jeannette s'activait en
salle et que monsieur Louis ne décollait pas du percolateur
et du robinet à bière. Peut-être certains soirs, la fatigue
aidant, au moment de faire la caisse, laissaient-ils échapper
un qu'est-ce qu'il ne faut pas faire tout de même, mais les
chevelus se révélant d'aussi grands buveurs que les
pêcheurs, quoiqu'un peu plus bruyants, la perspective
d'une vieillesse comblée était au bout de leur peine.

On pouvait seulement leur reprocher, aux chevelus,

d'être capable de passer tout un après-midi devant un verre sans juger utile de renouveler leur consommation (or certains passaient une tête par la porte et, toutes les places étant prises, faisaient demi-tour, au grand dam de madame Jeannette qui courait après eux en affirmant qu'on pouvait toujours se tasser), ou de se livrer à de trépidantes parties de baby-foot, avec revanches, belles, antithèse, synthèse, cris, protestations, pour lesquelles monsieur Louis et sa dame encourageaient vivement les perdants à offrir la tournée.

Gyf, qui n'était jusqu'à ce moment qu'un metteur en scène anonyme, semblait un habitué du lieu, ce qui ressortait du comme d'habitude interrogatif lancé par monsieur Louis derrière son bar. L'habitude, c'était un demi pression, qui n'était pas la mienne, mais, au moment où je tenais un admirateur, mieux valait ne pas risquer de le vexer en se singularisant avec un thé, par exemple, de sorte qu'à la question ça te va je répondis imprudemment que ça m'allait. Imprudemment, parce qu'au cinquième demi et après quelques interruptions (excuse-moi, avant de disparaître par la porte du fond pour laquelle il fallait demander la clé, ce qui, au lieu d'indisposer les patrons, semblait les réjouir, me proposant au passage, comble de prévenance à mon égard, de me remettre la même chose, de sorte qu'en revenant m'asseoir devant un verre à nouveau plein je ne manquais pas de remercier chaleureusement madame Jeannette qui épongeait la table après que, trop ému sans doute, je l'eus renversé, le verre, m'affirmant que ce n'était pas grave, et d'ailleurs, Louis, un autre demi pour le monsieur), je commençai à m'apitoyer sur mon sort. J'étais bouleversé qu'autant de gens s'intéressent à ma personne, c'était trop pour le même jour et, comme toujours en pareilles circonstances, les larmes commençaient à me monter aux yeux. A mon interlocuteur qui s'inquiétait de ma trop visible émotion, je répondis que ce n'était rien, simplement je n'avais pas l'habitude : tu préfères du blanc ? s'informa-t-il.

Autant d'attention valait bien que j'abonde dans le sens du malentendu, c'est ainsi que Gyf d'autorité en commanda une bouteille, que madame Jeannette se dépêcha d'apporter avec deux petits gobelets que je reconnus immédiatement : Duralex, modèle Picardie, 8 cl (la plus petite taille – intérêt bien compris des cafetiers), pour en avoir vendu des centaines au magasin, depuis tout petit habitué à bonjour madame, qu'est-ce que vous voulez – et la dame : ta maman n'est pas là ? ce qui vexe horriblement, comme si à cinq ou six ans on n'était pas fichu de faire l'article, de servir le client qui demande des verres à boire, une précision utile pour qui craint de ne pas se faire bien comprendre, selon le principe : plutôt trop que pas assez, ce qui s'appelle ailleurs grossir le trait, ce dont on ne fait pas grief à l'homme de théâtre, au cinéaste ou au romancier, alors pourquoi se moquer de notre chaland ? Mais en fait le verre à boire désigne le verre courant, celui de tous les jours. L'autre, le chic, le fragile sur son pied unique, reste dans son placard et donc on n'y boit pas, si bien qu'on donne à choisir entre les différents modèles ordinaires, d'ailleurs tous incassables, du verre trempé, madame, comme mes lunettes, une simple histoire de cuisson, mais quand ça explose c'est en cent mille milliards de morceaux.

Mais ce n'était pas le moment de vanter les mérites du petit commerce, je gardai ma science pour moi et revins à nos moutons. Alors, ce film, ça parle de quoi au fait ? abandonnant toutes précautions sémantiques. Le dialecticien passablement émoussé n'était plus aussi susceptible à présent et, après avoir réfléchi un moment, contemplé l'alignement des bouteilles derrière le bar, enfoncé un peu plus son verre de lunettes dans l'orbite en appuyant du doigt sur la monture à la racine du nez, il avoua tout à trac qu'en fait c'était lui en train de baiser une nana. On avait déjà bien entamé la bouteille de blanc, mes conceptions esthétiques s'étaient considérablement élargies et, après m'être versé un autre verre que j'avalai d'un trait, trop vite sans doute car dans un accès de toux je regurgitai un peu de liquide, j'admis que c'était une idée vraiment géniale, que je ne comprenais pas qu'on n'y eût pas pensé avant.

Très honnêtement, mon contradicteur m'opposa qu'on y avait déjà pensé, c'est ce qu'on avait coutume d'appeler du cinéma porno, mais, et il ponctua sa remarque d'un geste de la main qui balayait toute possible confusion en même temps que les cendres de sa cigarette : ça n'avait rien à voir.

158

Evidemment non, tu parles, je n'étais pas le genre à confondre. Et qu'est-ce qu'il y avait à voir, au fait ? Un mec et une nana, je n'ai pas besoin de t'expliquer, tandis qu'il me ressert un verre. Pas la peine en effet, on ne peut plus clair. Il fallait vraiment être un pervers révisionniste pour faire un quelconque amalgame avec les proxénètes de la pellicule. Et donc on les voyait tous les deux, c'est-à-dire toi et ? Une copine, lâcha-t-il, évasivement.

Excuse-moi. Je dus me lever avec trop de vivacité car ma chaise se renversa brutalement en s'arrangeant pour m'entraîner dans sa chute. Comme je peinais à me remettre sur pied, madame Jeannette accourue à la rescousse me tira par la main tout en s'en prenant à son mari : il y avait longtemps qu'elle lui disait que cette chaise était bancale. Décidément on me comprenait de mieux en mieux, la vie m'apparaissait moins pénible. Justice étant faite, je récupérai les clés. Cette fois, c'est la serrure qui me donnait du fil à retordre. Quelqu'un avait dû la trafiquer entre-temps car impossible d'y glisser la clé, au point qu'après plusieurs tentatives infructueuses j'eus l'idée de la retourner et d'essayer par l'anneau. C'est là que monsieur Louis intervint, précisant suite à mes remarques qu'il n'avait pas l'intention de changer quoi que ce soit, que ça irait bien comme ça jusqu'à la retraite et, après m'avoir ouvert la porte, que je n'hésite pas à appeler si je me sentais mal.

Au retour, une autre bouteille m'attendait, le goulot toujours cerclé de sa bague de celluloïd blanc portant en caractères curieusement gothiques la mention muscadet. Précision d'autant plus importante que monsieur Louis derrière son comptoir bénéficiait de toutes les libertés pour la remplir avec n'importe quoi, ce qui, dans l'état où nous étions, faisait de toute manière parfaitement l'affaire. Mais, à la seule vision de cette épreuve supplémentaire et de Gyf à demi affaissé sur la table carmin, je fus pris de nausée et, sans prendre même le temps de m'excuser, m'en retournai précipitamment reprendre la clé, ce dont me dispensa le diligent barman avisé qui, craignant sans doute pour la sciure étalée sur le sol, m'ouvrait sans plus tarder grand la porte. Ces quelques secondes de gagnées, je les mis à profit pour renvoyer dans l'endroit idoine et sans effort une bonne partie des consommations précédentes. Ça va mieux, dis-je à Gyf qui s'inquiétait de me voir revenir aussi pâle. Et pour noyer le poisson j'ajoutai que le restaurant universitaire n'était pas toujours très frais, qu'on nous servait de la viande avariée et d'ailleurs une mésaventure de ce type m'était déjà arrivée à Saint-Cosmes, et là mon camarade me coupa net, sa paupière se souleva, libérant soudain un éclair de faible puissance : Saint-Cosmes ? J'y étais, en sixième.

Aussitôt, en dépit du brouillard qui dansait un peu plus dense que d'habitude devant mes yeux, ce fut la révélation : ce verre enfoncé dans l'œil, qui d'autre que lui ? Gyf, tu es Gyf. Et Gyf : il y a des années qu'on ne m'a plus appelé comme ça – Et comment alors ? – Georges-Yves – Mais comment veux-tu, c'est imprononçable, non, non, pas d'histoire, pour moi et pour l'éternité tu es Gyf, l'incroyable Gyf, le seul capable d'aller trouver la vieille sœur faisant office d'infirmière, laquelle se contentait généralement de distribuer de l'aspirine, et de lui dire : ma sœur, j'ai mal aux parties. Parties de quoi ? réplique la vieille sœur moustachue aussi peu calée en anatomie qu'en cuisine, tandis que trois ou quatre postulants à l'infirmerie se mordent les joues de crainte de s'écrouler de rire. Et le petit bonhomme aux lunettes asymétriques de confirmer, imperturbable : aux parties, ma sœur. Et Gyf : j'ai vraiment fait ça ? Bien sûr, Gyf, tu parles si je m'en souviens, on n'avait pas si souvent l'occasion de rire, de se venger des humiliations qui pleuvaient sur nous, quel courage, quelle audace, quelle invention, mais j'y songe : ton film, ton film était déjà là, la messe dite, à douze ans tout était joué, rien à ajouter. Mais Gyf tempéra ce déterminisme : que je ne lui dise pas qu'ensuite il avait sauté la vieille sœur.

Gyf intact, tel qu'en lui-même. Mais comment avait-il fait pour traverser toutes ces années, seul, absolument seul, car, plus encore que ses coups d'éclat, ce qui nous impressionnait c'était cette solitude de l'orphelin total, cette fiche d'état civil atrocement mutilée, et sais-tu qu'après ton renvoi, l'année suivante, j'y ai goûté à moitié, à cette solitude ? Mon père qui m'avait accompagné et laissé au milieu de la cour de récréation la veille de la première rentrée à Saint-Cosmes – les pensionnaires étaient déjà à pied d'œuvre, et, dès le premier soir dans le dortoir, alors que, tous feux éteints, çà et là, certains étouffaient des larmes, la tête dans le polochon, le petit Gyf se couvrait d'un drap et circulait entre les lits en jouant au fantôme, ce qui, avant même que l'année scolaire ne débute vraiment, lui avait valu sa première séance à genoux –, cet homme grand aux cheveux blancs qui se retourne une dernière fois avant de repasser sous le porche de la conciergerie, tu t'en souviens peut-être – mais non, au nom de quoi s'en souviendrait-il ? – et qui me salue d'un dernier geste du bras, eh bien, l'année suivante, il s'en allait définitivement. Que je me fasse bien

162

comprendre : pas pour une nouvelle vie, avec une autre femme, par exemple, mais mort, brutalement mort un lendemain de Noël, et sais-tu que j'ai souvent pensé à toi ? Je me disais : tu n'es pas le plus à plaindre : Gyf n'a plus personne, lui, et pourtant pas une plainte, pas un sanglot, et il est la vie même.

Pas tout à fait seul, dit-il, j'avais ma grand-mère. Et dans les yeux de Gyf l'intrépide, peut-être sous l'effet de ce mélange de vin blanc et de bière, une brume furtive passe, presque liquide, et comme de ce côté-ci des larmes je ne suis jamais en reste, je l'accompagne discrètement, des perles d'eau dégringolent bientôt dans mon vin blanc, mais, le temps de me reprocher ma sensiblerie – arrête de penser que tes larmes te rendent glorieux, arrête de te draper dans ton inclémence –, heureusement madame Jeannette, en fine psychologue, ramène d'office une autre bouteille (des fillettes de trente-trois centilitres), et en remplissant nos gobelets je propose que nous trinquions à nos retrouvailles, à notre collaboration future, car j'ai de plus en plus hâte de le voir, ce film, je sens vraiment qu'il va me plaire.

Imagine : un lit au milieu d'un champ, sur le lit un couple en train de faire l'amour, et tout autour des musiciens qui jouent et des filles qui dansent seins nus avec des fleurs dans les cheveux. J'imaginais très bien. Une œuvre puissante, originale, un événement, mais ce qui me retenait était d'un autre ordre : quel veinard, ce Gyf. Comment s'y prenait-il, avec ses lunettes remboursées à cent vingt pour cent par la Sécurité sociale tellement elles étaient importables, pour obtenir aussi facilement que des filles se déshabillent ? Car enfin, ce verre enfoncé comme un monocle qui lui dessinait une ride sous l'œil quand il ôtait sa monture, ce nez court et rond entaillé comme un pois chiche, ce front bas qui donnait l'impression de réfléchir longtemps avant que jaillisse une idée, qu'est-ce qu'elles pouvaient bien lui trouver ? Sans compter qu'il devait se laver les cheveux à l'huile de vidange. Leur faisait-il miroiter des rêves de cinéma ? Jouait-il au producteur hollywoodien, remplaçant le cigare par des roulées et l'élégance vestimentaire par des hardes de chez Emmaüs ? Au lieu que moi, pendant ce temps, par souci de faire bonne figure, de ne pas trop me défigurer avec un odieux fil de Nylon entourant deux verres épais comme ce cul de bouteille, j'évoluais dans les brumes, me privais de la vision des beautés du monde uniquement pour ne pas lire dans leurs yeux le dépit qu'elles auraient à mon lamentable spectacle ? Peut-être en me glissant dans son sillage entreraisje au royaume des filles nues ? Alors, qu'est-ce qu'il attendait de moi ? Envisageait-il de tourner une suite, auquel cas je pourrais lui suggérer de rajouter un second lit dans le champ, par exemple.

Troublé au plus haut point par ce cinéma novateur, j'en venais à déconsidérer mon Jean-Arthur et toutes mes prétentions littéraires : à quoi rime d'accumuler péniblement des mots et des phrases, de les arracher à la blancheur de la page, à quoi bon tout ce temps passé, perdu, à chercher le lieu et la formule ? Gyf, tu veux que je te dise, c'est toi qui es dans le vrai. J'ai une furieuse envie de laisser tomber les lettres pour me lancer dans l'écriture de scénarios. Ça ne m'a pas l'air si compliqué, et puis il semble qu'on s'implique davantage, qu'on y met plus de soi. Au fait, ta copine. Laquelle ? Celle qui, enfin, avec qui, dans le lit, au milieu du champ.

De ma grand-mère, fait Gyf, à nouveau ému. Le champ appartenait à ma grand-mère, c'est elle qui me l'a laissé à sa mort, avec une petite maison, à Logrée, tu connais Logrée ? Non, mais ta copine. C'est en bordure de Loire. Je vois très bien, ou du moins à peu près, mais cette fille, la vedette de ton film ? Pour moi il n'y a pas de vedettes, pas de rôles plus importants que d'autres ; d'ailleurs ce ne sont pas des rôles. Tu penses bien que je suis au courant, c'était juste pour te taquiner, mais cette fille, dans le lit, avec qui, est-ce qu'elle ne s'appelle pas Yvette ? Non, pourquoi, tu la connais ? s'inquiète Gyf qui, craignant peut-être un impair, un imbroglio amoureux, lève péniblement sa paupière et pour la énième fois, tapant du doigt sur sa cigarette, vise à côté du cendrier, laissant tomber un rouleau de cendres qui se dilue dans une flaque de vin blanc. Non, non, je ne la connais pas, simplement dans ce cas le titre de ton film était tout trouvé. Ah bon ? Bien sûr, écoute : Gyf sur Yvette.

Il eut un petit sourire compatissant en rabaissant ses paupières, juste de quoi me montrer qu'en dépit de son état il avait saisi la subtilité de mon jeu de mots mais qu'il ne m'en voulait pas, et c'était plus terrible encore que s'il m'avait invité à me mêler de mes affaires. Avec ce petit sourire, c'était tous mes rêves de cinéma qui s'écroulaient, autant dire d'arrachement à la solitude. Je m'en voulais un peu, je savais, de même que je me reprochais ma propension aux larmes, que je gagnais à me taire, mais comment ne pas se laisser griser par cette exaltation soudaine, cette inattendue bouffée de jeunesse ? L'occasion ne se présenterait pas de sitôt de me glisser, clandestin, dans un de ces trains en vogue. Comment ne pas se rêver autre que ce qu'on est, quand l'horizon est sombre et le quotidien sans agréments ? Le réveil était comme il se doit brutal et c'est très normalement qu'on me renvoyait à ma cellule et à mes travaux d'écriture, à mon Jean-Arthur ou la même chose, c'est-à-dire la même vie, à mes trois accords ressassés et au crincrin de mes moutons, comme si, après avoir cru enfin y échapper, le cercle de tristesse et d'ennui venait à nouveau de se refermer.

Tout rentrait dans l'ordre. D'ailleurs Gyf expliquait que je n'avais rien à regretter, parce que, même si sa copine s'était appelé Yvette, dans la scène qui semblait me tracasser (je ne pris même pas la peine de protester), elle n'était pas dessous, mais dessus. Et puis il avait déjà un titre. Oui, dis-moi ? A nouveau mon interlocuteur devint grave, et tout en rejetant vers le plafond jauni du café la fumée de sa cigarette, presque timidement : Tombeau pour grand-mère.

C'est très beau, Gyf.

Je devenais décidément très demandé : pour la seconde fois en deux jours on frappait à ma porte. Sans doute même pouvais-je en déduire qu'on tenait à ma compagnie, vu l'insistance avec laquelle on tambourinait. Ce qui m'amenait presque, ce martèlement peu opportun, à regretter ma solitude antérieure. D'ordinaire, du moins l'ordinaire du cinéma, forcément un peu sommaire, un tel déploiement d'énergie se prête à une double interprétation : il s'agit soit de prévenir d'un incendie en encourageant une évacuation précipitée de l'immeuble, soit de s'assurer que l'occupant n'a pas viré de l'œil – auquel cas, au cinéma toujours, on enfonce la porte.

L'idée de rôtir n'était pas incompatible avec un traitement radical de mon mal de tête. Tout était plus doux que cette sensation d'une mine anti-personnel placée à la racine de chaque cheveu, comme si la boîte crânienne transformée en bunker servait de terrain d'expériences à une nouvelle gamme d'explosifs, mais la perspective d'embêtements que laissait présager la seconde hypothèse – une porte enfoncée (prévenir le concierge,

m'expliquer, convoquer le menuisier, régler la facture) –
m'obligea à une manœuvre désespérée : tenter de me
lever.

Immédiatement, après avoir utilisé les quelques bribes de
pensées résiduelles à me traiter de tous les noms et d'inqua-
lifiable ma conduite de la veille, je compris que tout mouvement un peu brusque était à bannir, ne serait-ce que pour
ne pas dissocier, par une impulsion irraisonnée, la matière
cérébrale gélatineuse qui semblait baigner dans un magma
vineux comme une coquille de noix emportée sur une mer
démente. A peine le pied posé par terre, il m'apparut : un,
que j'avais dormi tout habillé et avec mes chaussures, ce
qui n'était pas dans mes habitudes, deux, qu'elles repo-
saient, mes chaussures, au milieu d'une sorte de potage à
la citrouille qui s'étalait sans ménagement sur les quelques
feuilles de mon Jean-Arthur traînant sur le sol, parsemées
de grumeaux inidentifiables à travers lesquels, et à l'exception de petits vers blancs tortueux que j'assimilai à des morceaux de spaghettis, il m'était difficile de reconstituer mon
repas de la veille, et trois, que le sol, le plafond, les murs
dansaient une gigue effrénée, sitôt que je tentais de faire
toute la lumière sur ma situation présente en essayant de
soulever sans trop de dommage deux paupières plombées.

Gyf à qui j'ouvris la porte ne me demanda pas si ça allait,
c'est-à-dire que dès qu'il m'entrevit il me dit qu'il ne me
demandait pas si ça allait. Il émit même un petit sifflement
en découvrant l'état de ma chambre, suivi d'un bref com-

mentaire du genre c'était une salée, où je crus voir une allusion à la mer démente et à la tempête qui cognait rageuse-
ment contre ma voûte crânienne. Lui paraissait assez frais,
le cheveu normalement huilé et la barbe éternellement naissante, mais je dus me contenter de cette première impression, ayant beaucoup de mal à garder les yeux ouverts en
raison de cette instabilité des murs. Il me rappela alors que
l'étage comportait des douches au bout du couloir, et il me
conseillait vivement d'en profiter. On t'attend, dit-il, et,
après m'être emparé à l'aveuglette d'un nécessaire de toilette et de vêtements de rechange choisis au hasard, je mar-
monnai on y va, en écho, manifestant par là une forme
d'esprit qui étant donné les circonstances me rassura : les
centres vitaux ne semblaient pas atteints.

Quand on revint, le cheveu dégoulinant, ayant réussi à
désarmorcer quelques mines, une fée s'était occupée de
mon pitoyable logis. Le sol, de grands carreaux noir et
blanc, reluisait, à croire que, victime d'un muscadet hallu-
cinogène, j'avais été le jouet d'un sporadique dérèglement
des sens. Quand je m'inquiétai soudain de mes pages à la
citrouille. Il y avait bien des feuilles à terre, je m'en souvenais parfaitement, ma manie de tout laisser traîner, un
long monologue, où mon Jean-Arthur racontait comment
il dansait au rythme des tam-tams après avoir négocié une
vente d'armes avec un roi nègre, ce qui m'avait coûté beaucoup de travail, des heures d'acharnement à sonder les syllabes, à les sélectionner selon leur potentiel rythmique, tout

170

en cherchant à restituer au mieux la couleur locale, la terre rouge et les chants des indigènes, les cases couvertes de chaume et la panoplie du sorcier, le mouvement des corps en transe et le balancement des seins des femmes – ce qui me rapprochait, cette dernière image, du cinéma de Gyf, lequel affirma qu'il ne s'était occupé de rien, qu'il fallait demander à Théo. Qui c'était, Théo ? C'est moi, dit-elle.

J'avais horreur qu'on fouille dans mes papiers. Ça me rendait toujours nerveux qu'on pût accrocher du regard une phrase, une poignée de mots, qui, hors de leur contexte, et manipulées par un esprit mal intentionné, couraient le risque du ridicule. Et leur auteur par la même occasion. Ce qui m'arrêta dans mon mouvement de mauvaise humeur, c'est que Théo, donc, que je découvrais en même temps qu'elle me montrait mon monologue jaunâtre étalé sur le bureau, Théo qui avait joué les cendrillons en épongeant par terre une partie de la réserve d'Au Bon Pêcheur, Théo qui avait ce drôle de surnom qu'il me faudrait bien éclaircir un jour, Théo qui accompagnait ce mystère (mais comment Gyf affublé d'aussi épouvantables lunettes attirait-il de si jolies filles ?), Théo qui, restée dans un premier temps dans le couloir, m'avait vu le longer, les yeux fermés, en suivant le mur de la main, Théo, puisque c'était elle, Théo avait un sourire désarmant. Et il fallait qu'il le fût parce qu'après m'avoir récité deux phrases de mon Jean-Arthur, au lieu d'aussitôt m'excuser, de bredouiller qu'il ne s'agissait que d'un brouillon, de tenter de

171

la convaincre que je valais beaucoup mieux, je déclarai – et en m'entendant je maudis et bénis en même temps le muscadet au peyotl de monsieur Louis et de madame Jeannette – que j'aimerais bien être l'auteur de ses phrases. C'était plutôt bien tourné, non ? Or vous savez quoi ? Elle en convint.

A la suite de quoi il y eut un temps très court mais un temps tout de même, pendant lequel il me sembla que je touchais enfin au but. La vie n'était pas aussi inconfortable pour qui y trouvait sa place. C'était jouable, en somme. Et le sentiment éprouvé n'avait rien à voir avec un triomphe secret, une revanche sur le sort, c'était juste une question de bon sens, les choses épousaient enfin leur cours normal. Mais bien vite, en dépit de mon état je repris mes esprits. La ficelle était décidément trop grosse. On ne me la faisait pas. Les précédentes méthodes ayant échoué (je n'avais pas craqué à l'annonce de la noyade de mon amour de jeunesse, ni parlé sous l'effet de la boisson), on essayait maintenant de me prendre par les sentiments en tablant sur une certaine frustration tout en feignant de s'intéresser à mon Jean-Arthur. Je reconnaissais là les grands classiques de l'espionnage. D'ailleurs, Théo sentait son nom de code. La différence avec les agents précédents était toutefois de taille. Ou plutôt une différence de nature. De genre, en somme, et celui-là l'était tout à fait, mon genre.

Et puis je commençais à être las de lutter, mon Jean-Arthur se plaignait de plus en plus de la solitude, on ne pouvait plus compter sur la stabilité des murs, et le courage me manquait à l'idée de reprendre le maquis de ma résistance intérieure à un envahisseur imaginaire. L'heure de la reddition était proche. Ce sourire désarmant dont je perçais peu à peu le mécanisme : une lèvre supérieure boudeuse, des yeux plissés d'un noir brillant et une petite mouche sur la pommette qui remontait vers l'œil quand le sourire s'accentuait, ce sourire-là miraculeusement parachuté dans mon champ de vision par un mystérieux revenant, rien n'était plus triste que la pensée qui traversa mon esprit embrumé de le voir bientôt s'effacer, s'éloigner, sortir peut-être à jamais de mon périmètre de netteté pour se fondre dans le grand flou terrestre, emporté par la belle étudiante aux longs cheveux bruns ondulés retenus à hauteur de la nuque par une faveur rouge et qui se tenait debout au milieu de ma chambre, les mains enfoncées dans les poches d'un kabig à capuche et brandebourgs, tout à fait dans la tonalité de l'endroit (j'avais moi-même, comme un bon tiers de la faculté, un caban marine), n'était sa couleur bleu canard.

Cette touche personnelle, ce bleu canard qui tranchait élégamment sur les marines et les kakis, c'était d'ailleurs la preuve que chez les êtres rares la rareté est partout, de sorte que Gyf, qu'avais-tu besoin de me ramener ce sourire-là, si rare que je ne risque pas de le croiser à tous les coins de rue où d'ailleurs je n'ai jamais remarqué qu'on se souriait. Cette apparition éphémère dans ma vie de moine copiste

173

ne fera qu'aviver mes regrets. Puis-je ajouter que je conçois qu'il puisse un jour, ce sourire, dans un envisageable moment de cafard, terriblement me manquer ?

D'autant qu'en outre la belle semblait très documentée sur mes activités littéraires. Et où j'en étais, si je comptais en avoir bientôt terminé, si je n'étais pas tenté d'insérer dans mon texte des extraits d'autres textes (oui, je sais, les femmes soignent ces féroces infirmes retour des pays chauds). En fait, comme je manifestais mon étonnement, mais comment en deux phrases avait-elle tout deviné, il apparut que, tu ne t'en souviens pas ? nous avions déjà discuté de ces questions la veille au soir. Là vous me faites marcher. Gyf, elle me fait marcher. Elle profite de mon état. C'est ainsi qu'on rend les gens fous, on leur fait croire qu'ils, on sème le doute, et après. C'est toi qui nous fais marcher, dit Gyf. Moi ? Oui, ne me dis pas. Dis pas quoi ? Décidément, c'était une salée, confirma Gyf.

Et la petite mouche remonte vers le coin de l'œil, tandis que j'envisage le pire, que la honte me saisit au point d'oublier les mines anti-personnel et les murs danseurs, que je me prépare à rajouter un chapitre rouge de confusion à mon grand livre des humiliations. J'en étais resté à, voyons, quel brouhaha dans mon esprit, non, Gyf, ne me souffle pas, voilà, au Tombeau pour grand-mère chez madame Jeannette et monsieur Louis. C'est vrai qu'ensuite j'ai ce qu'on pourrait appeler un trou, j'ai beau fouiller, creuser, me torturer littéralement les méninges, je ne parviens pas

174

à faire le lien entre ce moment ultime et ce réveil au tambour, ce qui, de fait, implique un blanc dans mon emploi du temps. Et quand je dis blanc, c'est en fait très proche des ténèbres. Et donc il apparaîtrait que j'étais avec vous. Et, sans entrer dans les détails, nous fîmes quoi ?

Rien de spécial. Voilà qui me rassurait un peu. Mais encore ? Nous avions, entre autres choses, continué à boire. D'où cette rumeur à la racine des cheveux. Et les pelotes de déjections à base de spaghettis ? Nous avions ensuite rejoint Théo et d'autres amis et nous nous étions tous rassemblés chez l'un d'eux pour une soirée annoncée comme italienne, disons plutôt à base de pâtes. Et personnellement, sans forcément vouloir tout ramener à moi, je m'étais comporté comment ? Passé une certaine heure j'avais dormi. Et avant de sombrer dans le coma ? Pas de déclarations intempestives ni de faits et gestes incongrus voire déplacés à signaler ? Non, pas vraiment, sinon une insistance quasi obsessionnelle à vouloir embrasser Théo.

Ah. Nous y voilà. La rumeur capillaire est de plus en plus démente, plusieurs mines anti-personnel viennent d'éclater en même temps. J'ai beaucoup de mal à relever la tête, et une chaleur soudaine m'envahit le visage, comme si j'étais sous les coups d'un soleil ardent. Il me faudrait pourtant croiser le regard de la belle Théo et avoir le courage de me confondre en excuses, lui promettre pour le moins que je ne recommencerais plus, bien que j'eusse déjà fait mon deuil d'une prochaine occasion. Qu'elle exige réparation, tout ce qu'elle voudra, de toute manière rien ne pourra effacer ce sentiment de honte, ou plus exactement, car ce n'est pas un cadeau, tout de même, de profonde malédiction, à savoir : qui à ma place supporterait d'être moi ? Qu'elle comprenne que je ne le souhaite à personne, ou peut-être à mon pire ennemi – qu'il se ridiculise aux yeux de tous ne serait pas forcément une mauvaise chose –, mais, honnêtement, on devrait cesser de m'en vouloir. Ou alors soyez qui je suis, auquel cas je vous souhaite bien du plaisir (un peu cependant grâce à mon Jean-Arthur, à charge donc pour vous de l'achever – mais à dire vrai j'aimerais mieux m'en occuper moi-même, ayant quelques idées très précises sur le style, le lyrisme, et me fiant personnellement à mon oreille, qui dans cette hypothèse serait la vôtre bien entendu, mais imaginons au cours du transfert une altération du tympan, par exemple, que devient alors mon beau texte ? Le risque est trop grand qu'il s'en trouve dénaturé, aussi, quitte à m'insupporter davantage encore, je préfère dans le doute me garder, persister et signer mon histoire).

Il y avait une question cependant qui me brûlait les lèvres plus encore que la honte les joues : si Théo avait choisi de rendre visite au condamné dans sa cellule, était-ce pour allumer le bûcher et voir rôtir l'auteur du crime à petit feu, ou – et bien sûr une telle pensée s'accompagnait des plus extrêmes réserves – venait-elle s'assurer du pouvoir de ses charmes sur le même en phase de désintoxication ? Auquel cas elle n'avait pas à se faire du souci, j'étais aussi ému que si elle m'apparaissait pour la première fois. Je comprenais fort bien que je me fusse épris d'elle au premier regard, au point, le vin ayant des effets libérateurs, de me laisser un peu aller à mes sentiments. Je regrettais simplement de n'avoir pas gardé en mémoire la saveur de ses lèvres, pour peu qu'elle se fût par moi laissé embrasser. Ce qui était douteux, quand je crus comprendre que nous avions échoué chez son petit ami, lequel n'avait pas apprécié qu'en outre je reverse deux ou trois verres de vin, après ingestion, sur son couvre-lit.

Mais elle était là, et sans son maniaque de la propreté. A l'en croire, elle venait aux nouvelles, ayant craint que je ne me réveille pas, que mon coma éthylique se prolonge au-delà d'une nuit récupératrice de sommeil. Elle était heureuse de me voir en à peu près bon état et attendait que je l'améliore encore afin que je lui parle de mes écrits dont j'avais la veille au soir vanté l'excellence et le caractère novateur.

Cette nouvelle information fut saluée par une nouvelle salve de mines anti-personnel, aussi profitai-je du tumulte engendré par la déflagration pour, sans forcer la voix, de sorte que je ne risquais pas de m'entendre, bredouiller deux ou trois mots penauds sur mon attitude scandaleuse de la veille. Quant à mes travaux d'écriture, il ne fallait évidemment pas croire tout ce que j'avais pu en dire et dont je n'avais gardé aucun souvenir, même s'il m'arrivait effectivement d'émettre en alternance un jugement tantôt enthousiaste, tantôt déprimé, sur la réalité de mes supposés talents. Le baromètre de mes états d'âme s'étant, si j'en croyais ses dires, arrêté hier soir sur Beau fixe, elle pouvait logiquement constater que ce matin – ah bon, il était midi passé ? – le temps s'était terriblement détérioré, qu'à l'anticyclone avait succédé une pénible dépression, et donc, si elle voulait bien m'accorder cette faveur, on en reparlerait une autre fois – ce qui me permettait ainsi, par cette stratégie de la carotte, d'espérer peut-être bientôt la revoir.

Gyf, lui, avait une autre idée. Nous avions un ministre des Armées, ou de la Guerre, ou de la Revanche, qui avait jugé opportun de mobiliser toute la jeunesse, et donc estudiantine, dans la perspective d'un conflit planétaire dont le caractère imminent nous avait jusque-là échappé. D'où, par ignorance certainement, une forme de réticence vis-à-vis de la mesure annoncée.

Jusqu'à présent il était admis qu'un jeune homme pouvait demander un délai de grâce avant son incorporation, le temps d'achever sa formation, en somme, et cela, ce répit accordé, s'appelait un sursis. Mais, craignant peut-être que l'allongement considérable des études ne conduise à terme à une armée de presque vieillards, tout juste enclins à faire don de leur corps (or on sait que les organes qui ont fait leur temps ne sont pas récupérables) à la patrie, on nous proposait d'accomplir notre devoir national sans plus attendre, l'armée s'étant toujours nourrie d'un sang jeune et ardent. L'âge venu, nous partions en urgence servir le pays, il serait toujours temps de reprendre nos études au retour.

Imaginez : au moment où vous allez enfin apprendre à quoi E est égal, on vous appelle sous les drapeaux. Là vous comptez une-deux, une-deux, ce qui semble fondamental pour la marche (encore que les bébés savent marcher avant de compter), vous apprenez d'un camarade de chambrée à décapsuler une bouteille de bière avec les dents, vous emmagasinez un nombre incalculable d'histoires drôles dont vous entendez bien, sitôt rendu à la vie civile, faire profiter vos amis, vous sortez en groupe où, comme si vous n'étiez pas déjà suffisamment remarquables avec vos chaussures orthopédiques, vos uniformes peu seyants et vos cheveux rasés, vous vous faites encore remarquer en shootant dans les poubelles, vous enrichissez votre répertoire de chansons plus ou moins distinguées qu'en permission vous chantez dans les trains, allongés en travers des couloirs et jusque dans les soufflets, et le grand jour venu, celui de la libération, vous braillez très fort la quille bordel, en hissant à bout de bras une quille justement (qui ne se fabrique plus qu'à cet usage – ainsi il n'y a pas que l'industrie de l'armement qui profite du service militaire) sans vous rendre compte à quel point vous avez perdu contact avec le monde civilisé, de sorte que, de retour dans la salle d'études, quand un intervenant peu sensible à la masse de connaissances accumulées en une année vous demande au débotté : alors, E est égal à quoi ? pris au dépourvu, fouillant dans votre mémoire après cette interruption sabbatique, vous lancez sans conviction : à deux droits ? Et vous recopiez trois cent milliards de fois, pour vous-même, car à ce niveau on ne sanctionne plus autrement qu'en vous renvoyant à votre sens des responsabilités : mais que diable suis-je allé faire dans cette galère ?

Pour Gyf et quelques autres, qui avaient déjà commencé à organiser la résistance, une telle remise en cause du statut des sursitaires n'était pas négociable. Il fallait donc que les forces obscurantistes reculassent grâce à des actions de masse englobant nos frères travailleurs. Même si sur ce point Gyf avait eu quelques déconvenues en distribuant des tracts, à l'aube, à l'entrée des usines Batignolles. Les quolibets goguenards de nos camarades peu concernés par la réforme (la tendance parmi les plus jeunes était plutôt à devancer l'appel) l'avaient rassuré sur la persistance de l'esprit prolétarien, mais il avait moins apprécié quand les milices félonnes du patronat, représentées par trois ou quatre paires de gros bras, l'avaient renvoyé sans ménagement à ses études.

Cet incident lui avait valu d'acquérir une nouvelle paire de lunettes plus rustique encore que la précédente (qui avait explosé au contact des pavés), manière, selon lui, de se rapprocher davantage du monde des exploités, lesquels dans le même temps économisaient pour acquérir des montures plus chic. Ce qui, cette aspiration à un mieux paraître, troublait Gyf au point qu'il en arrivait à se demander si la prochaine fois il ne ferait pas mieux – entendons-nous bien : ceci afin de ne pas perdre contact avec la masse des oppri-

181

més, quitte à épouser leurs désirs petits-bourgeois – de choisir un modèle plus esthétique. Il comptait d'ailleurs soulever le problème dans la prochaine réunion de la cellule qu'il avait lui-même créée, conséquence d'une scission d'avec la mouvance groupusculaire d'obédience monguiste en raison d'un désaccord profond concernant le maquillage des militantes. D'obédience quoi, Gyf ? Il remonta ses lunettes qui se collèrent contre son œil. Ne me dites pas que vous ne connaissez pas Mong ?

D'ordinaire, en pareilles circonstances je répondais résigné : tu penses bien que oui, en sachant pertinemment les conséquences néfastes, les retours de bâton d'une affirmation mensongère, quand opportunément Théo déclara qu'elle n'en avait jamais entendu parler. Moi non plus, dis-je, soulagé et heureux de partager mon ignorance avec la belle.

Mong était un paysan du royaume de Siam qui au douzième siècle avait organisé la lutte armée contre un seigneur féodal dont les chiens avaient dévoré son maigre cheptel. Mais, après le vote à mains levées qui avait conclu que Mong se serait opposé aux maquillages des militantes, Gyf l'avait taxé d'archéo-conservatisme et étudiait depuis attentivement l'histoire de la Brière à la recherche d'un modèle vernaculaire plus apte selon lui à dynamiser les ardeurs révolutionnaires régionales. Il venait justement de découvrir un Aoustin, qui au dix-septième siècle avait eu maille à partir avec les gabelous, non pour une histoire de trafic de sel (le pays blanc est tout à côté), mais à la suite d'une querelle amoureuse qui avait débouché sur une jacquerie sauvagement réprimée. La mouvance gyfienne était sur le point d'annoncer au monde des réprouvés sa naissance, restait encore à peaufiner quelques articles du règlement, notamment en ce qui concernait la répartition des ministères entre les monguistes et les aoustiniens (les deux mouvements reconnaissants n'être pas assez puissants séparément pour prétendre s'emparer seuls du pouvoir). Mais, en attendant il fallait se dépêcher : l'assemblée générale qui devait débattre des mots d'ordre de la manifestation prévue dans l'après-midi allait bientôt débuter.

L'amphithéâtre était comble. Certains étudiants avaient trouvé refuge sur le rebord des fenêtres et quelques filles s'étaient hissées sur les épaules d'amis robustes, d'où elles jouaient les sémaphores, agitant de temps à autre un bras vers une tête repérée. Non seulement les sièges, mais tous les pupitres étaient occupés. Gyf se fraya un chemin entre les corps qui encombraient les marches en direction d'une poignée de militants monguistes aperçus au pied de la tribune où officiaient trois jeunes chevelus qui se relayaient devant un micro tout en dirigeant le débat. Au-dessus de la jeune assemblée stagnait un nuage de fumée qui épaississait à vue d'œil. Sur les bancs, les rouleurs de cigarettes s'activaient à tour de bras, les plus délicats laissant aux commanditaires le soin de passer un coup de langue sur la gomme du papier. Mais une véritable industrie aux effluves composites. Les plus impécunieux se relayaient pour tirer avec gravité sur un même mégot noirci des bouffées gouleyantes et précieuses qu'ils inhalaient longuement, religieusement, ce qui leur donnait des allures de curistes consciencieux, avant de rejeter dans l'atmosphère avec la délectation du protocole accompli un fin cône de brume.

Théo ne semblait pas pressée de rejoindre Gyf. Répondant d'un petit geste gracieux de la main au salut d'un grand blond bouclé antipathique, elle me glissa à l'oreille une banalité que l'antipathique interpréta sans doute comme une remarque désagréable à son sujet à la manière dont il tourna la tête et s'intéressa brusquement au débat. Je devinai qu'il s'imaginait des tas de choses sur ma relation à la belle au kabig bleu canard, ce qui me remplit d'un doux bonheur et, s'il avait été possible d'arrêter à ce moment la marche de l'univers, je n'aurais rien attendu d'autre de la vie que la répétition à l'infini de ce pur joyau qui illumina à cet instant mon esprit dévasté. Je déplorai simplement à part moi que l'antipathique eut trop d'imagination.

L'ambiance était vraiment fraternelle, le tutoiement de rigueur. Toute distinction de rang abolie, chacun était convié à donner son avis, et même le mandarin égaré dans cette assemblée qui, se levant au milieu des sifflets pour émettre une opinion rétrograde, fut sèchement rabroué d'un tais-toi, camarade, tu parleras quand viendra ton tour.

Le camarade professeur à deux ans de la retraite protesta, exigea en premier lieu qu'on le voussoie, et fut immédiatement taxé de charogne réactionnaire. Les constituants applaudirent en connaisseurs et, unanimes, conclurent qu'il l'avait vraiment cherché.

Maintenant on abordait la phase délicate de l'opération. Tous étaient d'accord sur le fond : la mesure ministérielle était inique et tendait à écarter des études longues les enfants issus des milieux populaires. Quelle probabilité avait un fils de paysan ou de prolétaire d'entamer des études supérieures après une interruption de plus d'une année ? Il y eut une brève escarmouche entre les tenants du zéro pour cent et ceux qui, tablant sur un endoctrinement bien perçu des classes laborieuses aboutissant à une prise de conscience salvatrice, ne désespéraient pas d'atteindre un certain pourcentage. Une motion de synthèse coupa la poire en deux, ce qui, de toute manière, laissait peu de perspectives à nos camarades issus des couches défavorisées. Une militante non maquillée proposa d'accepter la mesure en échange de la création d'universités véritablement populaires où tout le monde, des femmes de ménage aux éboueurs, pourraient librement étudier, à tout âge et sans formation préalable, qui la fabrication des confitures, qui l'éthique spinozienne, qui la théorie de la relativité, qui le macramé, qui la trente-deuxième d'Euclide. C'était intéressant bien sûr, mais un camarade mathématicien fit remarquer que, la trente-deuxième d'Euclide étant du niveau du certificat d'études, il ne voyait pas la nécessité d'une université, même populaire, pour l'enseigner. Quant aux confitures, il tenait à la disposition de la militante les recettes de sa grand-mère. Hou, hou, fit l'assemblée. Silence, camarades. On passa au vote : la proposition fut rejetée. C'est alors qu'on vit Gyf entreprendre d'approcher la militante non maquillée, monguiste, sans doute, pour vraisemblablement la convaincre de rejoindre les aoustiniens.

Maintenant il était temps de passer aux choses sérieuses. C'était du moins l'avis d'un des animateurs du débat. Une inattention de sa part, un moment de fatigue, peut-être. Car parler de choses sérieuses à propos de ce qui allait suivre impliquait que tout ce qui avait été dit auparavant ne l'était pas. C'était un procédé digne des procès staliniens, protesta quelqu'un. Bien vu, sauf que celui qui était intervenu en ces termes se vit immédiatement reprocher un confusionnisme navrant de nature à assimiler la dictature du prolétariat à une quelconque république totalitaro-bananière. L'objection reçue, on procéda ensuite à un vote à mains levées pour décider du remplacement du camarade Roger Lanzac (bien entendu, il ne s'agissait pas du célèbre présentateur de la célèbre Piste aux Etoiles que nous allions regarder chez l'oncle Rémi, à l'époque où il était un des rares dans le bourg à avoir un appareil de télévision), mais cette pique suffit à déstabiliser l'animateur, qui entreprit sur-le-champ son autocritique. Et c'est notre Gyf qui le remplaça. Nous étions vraiment fiers, Théo et moi. J'en profitai pour me rapprocher d'elle davantage, lui sourire, commenter. J'étais touché par le grand souffle révolutionnaire, j'entrevoyais un avenir radieux, quelque part entre la Jérusalem céleste et le royaume des anges.

Gyf aborda sans tarder, car la manifestation annoncée allait bientôt se mettre en marche, la question fondamentale des slogans. Après avoir résumé la situation, il sonda rapidement l'assemblée, d'où il ressortit que le mot d'ordre le plus souvent repris était : non à l'armée. C'était sobre, parlant, nul besoin de faire un dessin. On commençait déjà à se lever quand Gyf s'empara à nouveau du micro, et sur un ton dramatique : camarades, vous venez d'un seul coup de condamner la lutte des peuples opprimés qui tentent de s'affranchir du joug de l'impérialisme. Comment ça ? Qu'est-ce qu'il racontait ? On était à fond pour les peuples opprimés. Tout peuple opprimé était le bienvenu. On en manquait presque tellement notre force d'indignation était inépuisable. On rêvait d'en adopter. Heureux le chanceux qui, profitant d'un formidable piston – un oncle missionnaire, par exemple –, se posait comme le représentant d'une tribu du Matto Grosso menacée par les intérêts d'une puissante multinationale, et dont la survie ne dépendait que de notre signature au bas d'un tract ronéotypé. On n'était vraiment pas suspect de collusion avec la clique des affameurs liberticides. Gyf exagérait, et il en rajoutait : vous faites le jeu de tous les tigres en papier, de tous les lions en carton-

187

pâte, que deviendraient nos frères vietnamiens – et nos sœurs, souffla la militante non maquillée – et nos sœurs, renchérit Gyf soucieux de gonfler les rangs des aoustiniens, si condamnant toute armée, vous vous opposez à la création d'une force populaire de libération, seule capable de briser les chaînes néo-colonialistes qui asservissent les peuples au nom de la logique du seul profit. Vive l'armée prolétarienne, lança Gyf, vive l'armée du peuple. On – du moins ceux qui avaient retrouvé leur place – se rassit. La nuance soulevée par notre ami camarade méritait débat. Il fallait d'abord bien identifier l'agresseur. Là, c'était facile : les Américains et leurs valets. Attention, mit en garde Gyf, l'Amérique produit aussi ses exploités dont nous sommes pleinement solidaires, et il eut un mot pour nos frères rouges – et sœurs – et sœurs, qui organisaient la résistance sur le sol même qui nourrissait en son sein les rejetons dégénérés et assoiffés de sang du capitalisme postnégrier. Car qui était à la source de tous les conflits ? Le coupable, on le connaissait aussi bien que lui, c'était toujours le même, partout. Alors un seul mot d'ordre : Non à l'armée du capital, hurla Gyf dans le micro.

Il fallait reconnaître que la maîtrise dialectique de notre ami avait fait considérablement progresser le débat. Restait à peaufiner le concept, de sorte qu'après le dépôt d'une série d'amendements suivi d'un vote à mains levées fut adopté à l'unanimité le slogan : non à l'armée du capital, oui à l'armée populaire de libération de nos frères – et sœurs – en lutte contre l'impérialisme. Ce qui avait vraiment belle allure. Mais pas à l'unanimité, au fait. Quand tous les bras se furent abaissés, on en vit un se lever et prendre (son propriétaire) la parole : tout en manifestant sa solidarité avec les peuples exploités, et sans nier la nécessité de poursuivre la lutte à leurs côtés, il s'inquiétait cependant de ne voir nulle part mentionné ce qui après tout était la raison de notre présence ici, à savoir la remise en cause du statut des sursitaires. Et justement, en tant que fils de paysan, il se trouvait particulièrement sensibilisé par cette disposition de la loi, ayant déjà eu beaucoup de mal à convaincre sa famille de poursuivre des études. Il ne faisait pas de doute qu'après un an d'armée la question ne se fût même pas posée. Il y eut un grand silence dans l'assemblée suivie d'une rumeur qui eût été franchement réprobatrice s'il s'était agi d'un fils de commerçant. Gyf estima que la remarque du camarade paysan était intéressante, mais c'était l'heure, on avait déjà trop tardé, et il nous donna rendez-vous devant la préfecture.

Il tombait une pluie fine et froide sur le trajet. Le ciel avait l'humeur grise des mauvais jours quand il n'y a aucune trouée bleue à attendre, aucune embellie à espérer, pas d'autre solution que de s'en remettre à la nuit d'hiver comme on s'en remet à l'amour ou à la mort. La manifestation progressait à petits pas, sourcils froncés, parkas fermés, dans la maigre lumière cendrée qui annonçait déjà une fin d'après-midi précoce. Gyf, qui avait ôté ses lunettes en raison de la pluie, figurait aux premiers rangs mais en retrait des meneurs officiels, lesquels avaient modérément apprécié son intervention et, craignant peut-être que cette journée ne soit le prélude d'un renversement de tendance en faveur des aoustiniens et de leur chef charismatique malgré ses curieuses lunettes, s'agrippaient à leur haut-parleur, se refusaient à le lâcher, s'entêtant à lancer des mots d'ordre de leur cru, mais beaucoup trop compliqués et qui, de ce fait, ne rencontraient pas un grand succès auprès des marcheurs. Ceux-là, donnant petitement de la voix pour se réchauffer, avaient de toute façon très vite adopté le prosaïque à bas l'armée, qui cadrait beaucoup mieux avec leurs préoccupations immédiates. Mais l'ensemble manquait d'entrain, faisait très amateur et pour tout dire un peu coincé. Ce manque évident de conviction n'avait pas échappé à un groupe d'auto-proclamés joyeux drilles qui, s'étant mis en tête de dérider la manifestation, de la rendre à sa vocation festive et estudiantine, jouaient aux pitres, apostrophaient grivoisement les passants et au total nous faisaient plutôt honte.

Manifester est un art. Il ne suffit pas de défiler derrière les banderoles et de reprendre en chœur les chansons aux paroles détournées qu'entonne dans son mégaphone en forme de fleur avec son pistil central un militant poète (par exemple, on demande une augmentation à un patron prénommé Pierre, cela donne : Au clair de la lune, mon ami Pierrot, donne-nous des thunes, ou on t'f'ra la peau), il faut avoir l'air convaincu, presque farouche, sans se départir pourtant d'un côté bon enfant, volontiers blagueur mais prude, bon vivant mais avec de la tenue, preuve qu'un militant ne dédaigne pas de goûter les fruits du travail mais veille à n'en pas abuser, et donc grave et léger, tout en progressant d'un pas lent sans donner le sentiment de traîner des pieds, en veillant à adresser des sourires complices aux passants massés sur le bord du trottoir, en les invitant par un bon mot à se joindre au mouvement, en refusant de polémiquer avec les provocateurs qui vous traitent de fainéants, et surtout en donnant l'impression que pour rien au monde vous ne voudriez échanger votre place.

Passé le noyau dur des enragés qui ouvraient la marche, très vite les rangs se clairsemaient, comme si, par cette prise de distance avec les camarades, chacun s'ingéniait à faire acte de présence sans paraître être là, baissant la tête, s'arrêtant devant une vitrine, reprenant négligemment un mot d'ordre avec l'air de s'étonner d'avoir dit quelque chose, rasant les trottoirs dans l'espoir d'être confondus avec les chalands, s'écartant d'un trublion sur l'air de saint Pierre jurant qu'il ne connaît pas cet homme, accomplissant scrupuleusement une sorte de service minimum destiné à être en conformité avec l'esprit de révolte ambiant.

Théo, la douce rebelle, avançait lentement, en silence, les mains dans les poches, la capuche rabattue, large et profonde, comme un capucin, de sorte que de profil on n'apercevait même pas le bout de son nez, juste le petit nuage d'haleine condensée qui sortait de sa bouche quand, émergeant de temps en temps de son abri en étirant le cou, elle lançait une remarque sur le temps qui ne semblait pas devoir s'arranger. De fait il ne s'arrangeait pas, la pluie tombait plus rapide et plus serrée, et, s'étalant maintenant en flaques sur la chaussée, nous obligeait à de petits pas de danse pour les contourner, prétextes à une diversion heureuse dans la monotonie du parcours.

L'association de l'eau et de la danse me remirent en mémoire ma naïade noyée, et à la dérobée j'observai les pieds de Théo chaussés d'escarpins noirs qui tranchaient élégamment au milieu de l'armée de pataugas et autres chaussures montantes, sabots à brides, galoches et même, un Spartiate sans doute, des tongues. Comme elle esquissait un léger saut gracieux par-dessus une flaque, je m'enhardis à lui demander si elle avait jamais fait de la danse, et par la même occasion si elle aimait nager. Je vis un œil malicieux émerger de la capuche et, sans attendre la réponse, absolument désolé de m'être encore une fois placé tout seul en aussi mauvaise posture – est-ce qu'un père, le mien à tout prendre, m'eût enseigné cet art de se taire, ou du moins de parler à bon escient, d'avoir toujours le mot juste, drôle, sensible, précis, auquel cas j'avais beaucoup perdu à sa disparition précoce –, je m'empressai d'ajouter que c'était en raison de la pluie qui redoublait, ce qui, dans l'ignorance du sous-texte, faisait assez faible. Sur quoi, tiraillé entre la perspective d'être bientôt trempé et la certitude d'être tout à fait ridicule, j'optai pour la seconde solution et sortis de la poche de mon caban une casquette de toile kaki, achetée en catimini dans un magasin de stocks américains, que, me laissant décrocher d'un pas ou deux, afin de ne pas attirer l'attention de la belle, j'ajustai au mieux et avec prudence (toutes les mines antipersonnel n'avaient pas explosé), m'assurant dans le rétroviseur d'une voiture rangée sur le trottoir du bon angle d'inclinaison de la visière. Puis, accélérant l'allure, je revins au niveau de ma capucine bleue.

Qui s'était arrêtée, m'attendait, observant mon petit manège du fond de sa capuche. Décidément tous les efforts

pour sortir de sa condition sont rarement couronnés de succès : Théo, qui soudain éclate de rire, ce qui bien sûr a de
quoi vous décontenancer, alors, ne sachant quelle tête adopter, vous lui opposez un petit sourire contrit, résigné, car
pour ce rire-là vous êtes prêt à accepter toutes les vexa-
tions, les blessures d'amour-propre, et la raison en est
simple : au cœur de votre solitude, au milieu du balancement des vagues, vous avez, soir après soir, plein de tristesse et plein d'espérance, façonné un rêve doux qui lui ressemble. Vous prenez sur vous de le lui expliquer, mais,
comme on met en scène sa propre mort, en vous emmê-
lant un peu dans les arguments médico-scientifiques, ce que
vous avez lu dans un magazine et tenté de mettre en pratique : savoir que la déperdition de chaleur se fait essentiellement par la tête et que donc, si on ne veut pas avoir
froid aux pieds, ce qui est le plus pénible, il vaut mieux se
couvrir, sinon c'est comme chauffer une maison sans toit,
ou dormir à la belle étoile, et de là vous gagnez les espaces
infinis : Pluton, planète trop lointaine pour les rayons trop
courts du soleil, la glace sur Mars, le froid intergalactique,
mais, coupant court à votre développement sur les super-
novae, naines blanches et autres géantes rouges, la belle
estime que le moment est venu de prendre congé de la
manifestation.

Et Gyf ? plaidais-je. De qui parles-tu ? Georges-Yves, je
veux dire, en articulant comme pour les chaussettes de
l'archiduchesse, Gyf, c'était autrefois, la pension. Oh, il

n'était pas prêt d'en avoir terminé, d'ici à demain il avait certainement une demi-douzaine de réunions où il discuterait de cent mille choses passionnantes concernant l'avenir de l'humanité, notamment qui de Mong ou Aoustin aurait été le premier à marcher sur la Lune. Mais, si j'acceptais de changer de sujet – tiens, Gyf ne la passionnait pas plus que ça –, elle était d'avis qu'on s'installe bien au chaud devant quelque chose de revigorant. Et là, au lieu de me retourner, de vérifier tout autour de moi si la proposition ne s'adressait pas à quelqu'un d'autre (car je ne suis pas idiot à ce point, j'avais très bien compris, aussi bizarre que cela pût paraître, qu'il s'agissait de moi), je pris l'initiative, et, comme le cortège tournait au coin d'une rue, je poursuivis tout droit en direction d'un petit café aux vitres embuées, la belle à mes côtés. Cette escapade, cette façon de fausser compagnie, ma place, vous pensez bien, pour rien au monde.

A peine assise, Théo rejeta sa capuche en arrière et ce fut un petit miracle, cette révélation de son visage vu d'aussi près, à peine la largeur de la table, c'est-à-dire la seule distance, cinquante centimètres environ, qui me permettait d'y voir clair. Elle avait le front bombé que découvrait ses cheveux sombres, presque noirs, lâchement tirés en arrière, maintenus par son ruban rouge. Les yeux noirs pétillaient, mais un pétillement en creux et il ne fallait pas être grand clerc pour y lire à l'envers le message un peu forcé qu'ils vous destinaient. Cette insistance à les garder plissés quand elle souriait finissait presque par rendre son sourire douloureux, même si ce plissement, elle l'avoua par la suite, était dû en partie à une légère myopie qu'elle tentait ainsi de corriger, ce qui à la longue lui donnait de violents maux de tête et l'obligeait à chausser des lunettes pendant les cours (je lui expliquai alors qu'il y avait une solution beaucoup plus simple : ne pas chercher à voir). Et puis les sourcils non épilés contrairement à un usage en vogue, le bout du nez légèrement arrondi, la mouche minuscule comme une poussière sombre qui se serait posée sur la pommette et qu'on avait envie d'ôter d'un coup d'ongle, la lèvre supérieure boudeuse et le menton qui ovalisait le visage, mais le serveur était déjà là, son plateau à la main à hauteur de l'épaule, attendant la commande, surtout celle de Théo, au vrai, minaudant en la fixant, ne m'accordant qu'un rapide coup d'œil hautain – tiens, une erreur de casting –, Théo réfléchissant tout en déboutonnant son kabig (des boutons oblongs de bois clair qui autrefois faisaient également office de sifflet, mais je n'allais pas lui demander d'essayer d'y souffler), découvrant un pull en mohair noir dégageant un long cou gracile. Mais, le noir tendant à gommer les formes, comme pour ma noyée, j'hésitai à baisser les yeux.

Aussi longtemps que Théo s'interrogeait, l'homme au gilet ne semblait pas pressé, mais, maintenant qu'elle avait choisi, c'est tout juste s'il ne me forçait pas à prendre n'importe quoi, par exemple la même chose, après qu'elle eut commandé un grog. Et après son départ : dis-moi, le grog, ce n'est pas avec du rhum ? Or la perspective d'avaler quarante degrés d'alcool, même dilués, en toute autre circonstance m'eût fait préférer le peloton d'exécution, tant les effets dévastateurs de la veille ne s'étaient pas encore dissipés, mais j'avais tendance à voir les choses différemment à présent.

Et pourtant, comme la belle s'écartait, ce qui m'apparut dans le miroir au-dessus de la banquette en moleskine brun craquelée n'avait rien d'encourageant : des cheveux mouillés, plaqués par la casquette qui avait laissé une empreinte de couronne mérovingienne au-dessus des oreilles, la mèche scotchée sur le front et deux anglaises frisottantes encadrant un visage au nez rougi par le froid ayant peu à voir avec l'idée plus avenante qu'un instant plus tôt je m'en faisais. Ainsi tout rentrait dans l'ordre. Eviction du domaine de rêverie. Retour au réel. Je baissai la tête, comme si je redoutais d'infliger une telle vision à la belle. Or le miracle, une seconde fois. Théo, de ses deux mains qui soutenaient l'instant d'avant au creux des paumes son menton, m'ébouriffa les cheveux et, me forçant à lever les yeux vers elle : alors, Jean-Arthur, qu'est-ce qu'il va lui arriver ?

J'avais ma petite idée, bien sûr, mais ça ne m'intéressait plus beaucoup dorénavant, cette histoire. L'écriture est une affaire de solitude. Jean-Arthur m'avait permis de ne pas flancher pendant une passe difficile, mais il n'allait pas, maintenant que j'entrevoyais un mieux, se mettre en travers de mes amours naissantes. Que s'imaginaient-ils, tous les deux, que j'allais les présenter l'un à l'autre et discrètement m'effacer ? Pas de ça, Lisette, disait mon père, citant peut-être une réplique célèbre, du moins dans le répertoire théâtral randomois. Jean-Arthur, il ne tenait qu'à moi, qu'à mon bon vouloir, qu'il ne gagne illico la corbeille à papiers où Gyf ne manquerait pas de le piétiner d'un léger pas de danse après que j'aurais entamé sur mon violon un air celto-auvergnat de ma composition. Cette idée couramment répandue que les créatures de fiction échapperaient à la volonté de leur auteur et n'en feraient qu'à leur tête, il ferait beau voir. Aussi je lui réglai sans plus attendre son compte : si tu veux tout savoir, eh bien il meurt. Et maintenant parle-moi de toi.

Théo, trouvant qu'il n'y avait pas grand-chose à en dire,

revint bien vite à la charge. Mais pourquoi mourait-il ?
Comme tout le monde. On ne voit pas au nom de quoi
celui-là échapperait au sort commun. Et je ne parlais pas à
la légère. Rien de romantique là-dessous, rien qui s'apparente à l'artiste abandonné et méconnu qui, rejeté par le
monde, choisit de le quitter. Non, non. Il mourait comme
il arrive qu'on meure, comme mon père, comme ma tante
Marie, comme mon grand-père, la trinité tragique de mes
onze ans. Et là, par un phénomène inouï, les larmes que
d'ordinaire je sentais pointer à la seule évocation de mes
bienheureux inondèrent presque instantanément les yeux
de ma gracieuse, comme si elle avait pris sur elle de préle-
ver la part visible de ce chagrin trop lourd, les lentilles d'eau
franchissant bientôt le fin peigne des cils pour rouler sur
les pommettes, grossir au passage par un effet de loupe la
petite mouche, et mourir sous le bout de ses doigts au coin
de sa bouche. Oh, Théo, comme tu es sensible, comme tu
es gentille de t'alarmer pour moi, comme doit t'affliger le
spectacle du monde, cette misère tout autour, les gens qui
souffrent et la révolution qui n'arrive pas, mais ne pleure
pas, ce n'est rien, vois comme je m'en suis remis, comme
ça va bien maintenant, j'ai l'œil pratiquement sec et il le
serait tout à fait si je ne compatissais à ta peine devant ma
peine, c'est une vieille histoire à présent, pourquoi passer
son temps à se lamenter, à ressasser les mêmes anciennes
blessures quand la vie peut être si belle, si riche d'espérance. Mais, levant vers moi son beau visage triste qui me

bouleversait au point que je me retenais de le presser entre mes mains, elle me fit comprendre que bien sûr mon histoire était à pleurer mais ce n'était pas exactement la raison de ses larmes, et moi pour la cent millième fois remis à ma place, celle en dehors de laquelle je ne devrais jamais m'aventurer, pensant : pourquoi ne se trouve-t-il jamais personne, aucun puissant intervenant extérieur qui ait suffisamment pitié de moi, de mes faiblesses, de mon peu de moyens, pour me suggérer télépathiquement de tourner soixante-dix-sept fois sept fois ma langue dans ma bouche avant de parler, au lieu de me mettre dans des situations désagréables desquelles je ressors systématiquement à mon désavantage, la honte au front et le découragement au cœur, pourquoi ne dois-je apprendre qu'à mes dépens, et c'est vrai que cette histoire de compassion ne tenait pas debout, et donc il ressortait de ses explications chagrines que je n'avais pas l'exclusivité de ce genre de drame, que des pères, il en mourait aussi ailleurs, sous-entendu le sien, il y avait un an à peine, et tant mieux si pour moi la plaie s'était refermée, la sienne était à vif, et c'était tellement dur parfois qu'elle souhaitait mourir.

Oh non, Théo, pas mourir, pas maintenant, on vient à peine de faire connaissance. Mais qu'avais-je eu besoin de liquider mon pauvre Jean-Arthur, par pure jalousie, comme on élimine la concurrence, quand il avait eu ce mérite immense de retenir son attention. J'aurais dû le chérir, lui accorder pour cette faveur dix mille ans et plus. Il était trop tard pour le ressusciter à présent, le mal était fait, et quand bien même, ça n'eût pas fait revenir le père de Théo. Je m'attendais donc à ce qu'elle se lève, me plante là devant mon grog fumant dont les seules vapeurs me donnaient des haut-le-cœur, et comme à ma grande surprise elle demeurait assise, tirant tristement sur une cigarette blonde sortie de son sac en regardant par le panneau vitré de la porte du café les passants se précipiter sous l'averse, je repris naturellement mon rôle favori, celui qui me réussissait le mieux, pour lequel je me sentais le plus apte : le rôle de confident, de sœur Œnone et de frère Léon.

Alors, raconte-moi, Théo, tu ne pouvais mieux tomber. Les orphelins de père, quand ils se rencontrent, sont comme les vicomtes, que veux-tu qu'ils se racontent ? Sais-tu que j'ai remarqué que tous mes amis avaient une généalogie boiteuse ? Ce n'est pas un hasard. Ceux qui ne sont pas passés par là n'y entendent rien. Que veux-tu leur expliquer ? Qu'ils vivent leur vie de nantis. Nous, nous avançons sur nos heures bancales, clopin-clopant, en mutilés de l'espérance. Je n'ai qu'à rameuter les ombres fidèles de ma mémoire pour recomposer avec toi cet effroi et je suis à toi. La mort, je la connais comme ma poche. Je commence, si ça peut t'aider : moi, c'était un lendemain de Noël.

Elle, c'était le jour des crêpes, à la Chandeleur. Elle avait battu la pâte en chantant et décoré la table de guirlandes et de bougies en dansant, parce que son père malade allait revenir guéri. Sa mère était partie le chercher très loin dans son hôpital de montagne, lequel avait décidé de le rendre à sa famille, ce qui était bon signe, signe que tout reprendrait comme avant, et donc la pâte reposait dans son saladier quand la voiture s'arrêta devant la porte de la maison. Et alors que Théo se précipitait, réjouie, heureuse, prête à prendre dans ses bras le revenant, sa mère a hurlé qu'elle n'approche pas. Ce qui était bien dans son caractère de toujours crier, quand son père n'élevait jamais la voix, ou d'une manière si douce, et d'ailleurs il dormait sur le siège avant, la tête à la renverse. C'était tout lui, cet air de vieil enfant endormi. Mais en fait, tu comprends, il ne dormait pas.

Et les larmes de Théo reprennent de plus belle. Depuis vingt kilomètres sa mère roulait avec à la place du mort un mort. Et quand Théo a ouvert la portière, un peu comme elle l'avait imaginé, à cette différence capitale que le happy end de son scénario se changeait en cauchemar, son père lui est tombé dans les bras.

Et maintenant elle veut partir. Elle propose qu'on aille n'importe où, et pourquoi pas chez elle. Elle dit qu'elle a envie de continuer – comprenons, et moi bien sûr au premier chef, continuer à boire, du grog ou ce genre –, d'un regard quêtant mon approbation, ce que j'interprète, cet appel à communier sous une seule espèce, comme un ordre de mission. Tout ce que tu voudras, Théo : cap sur l'enfer.

A la sortie du café, après avoir rabattu la capuche sur sa tête, elle a ce geste étonnamment tendre de glisser son bras sous mon bras, ce qui est d'ordinaire un geste de vieux

202

couple, qui donc appartient à la panoplie du parfait réactionnaire, mais du coup, puisqu'il vient d'elle, c'est comme une leçon de force, d'indépendance, la démonstration de sa rareté. Alors, ce bras emprisonné, dont j'aurais pourtant besoin pour me coiffer de ma casquette, car l'averse ne paraît pas vouloir faiblir, évidemment, pour rien au monde, pas question de le retirer – et d'autant moins qu'à ce désagrément passager, la pluie, je devrai un peu plus tard la plus délicate des attentions quand, sitôt chez elle, devant ma mine de cocker humide, elle entreprendra de me sécher les cheveux à l'aide d'une serviette. Mais avant nous entrons dans une petite épicerie où elle lance un bonjour confondant de gentillesse à l'adresse de l'épicier, lequel soupire en secret derrière son comptoir, guette sans doute à longueur de journée sa venue, évidemment sous le charme, sinon pourquoi lui proposerait-il de régler une prochaine fois la petite flasque de rhum, assurant que rien ne presse, refusant tout net mon billet, sûr ainsi de la revoir, de partager quelque chose avec elle, fût-ce une dette.

Parvenus devant une vaste demeure en pierre de taille, elle m'explique que la propriétaire en est une vieille dame impotente à qui, en échange du logement, une chambre sous les toits dont on aperçoit la fenêtre, elle fait la lecture et rend quelques services : menues emplettes et réponse au courrier. C'est pourquoi elle me demande de marcher sur la pointe des pieds en traversant le couloir et au moment de grimper l'escalier. L'oreille de la propriétaire n'est plus aussi vaillante que jadis, mais il était convenu avec sa jeune lectrice que les visiteurs devraient se contenter du hall d'entrée. Je me réjouissais secrètement de bénéficier de ce passe-droit, j'y voyais déjà une marque d'attention particulière, quand, à sa demande expresse d'enjamber telle marche qui craquait, je compris que l'exercice avait été déjà maintes fois répété. Ce qui fit passer un nuage gris dans mon ciel rose.

Sa chambre était éclairée par un chien assis qui en dépit de la nuit tombante diffusait à l'intérieur la lumière dorée d'un réverbère tout proche. Ainsi on pouvait se passer d'allumer. Elle aimait, expliqua-t-elle, rester dans cette semi-pénombre, allant jusqu'à pousser son siège près de la fenêtre si l'envie lui prenait de lire. Le mobilier disparate se composait de tous les rebuts de la maison, mais du moins les fauteuils, tous de style ou simili, ne manquaient pas. C'est pourtant sur son lit qu'elle me fit asseoir tandis qu'elle me frictionnait les cheveux. L'eau du grog chauffait dans la casserole au-dessus du réchaud (un modèle électrique ancien, avec la résistance enroulée en spirale), la rumeur automobile du boulevard devant la maison emplissait le silence et je cherchais quelque chose d'intelligent à dire qui ne venait pas, cette parole définitive qui la consolerait de tous ses maux et effacerait son chagrin.

Il me vint un bref instant qu'elle récolterait ce qu'il, son père, avait semé, mais cette fois le surpuissant me conseilla opportunément de garder mes prophéties pour moi. Et puis elle avait autre chose à me dire, et pour l'entendre il fallait sans doute être mieux installé car, après m'avoir sommairement recoiffé comme elle l'avait fait au café – le geste lui paraissait familier –, elle me fit basculer en arrière, la tête manquant de cogner contre la cloison, ce qui impliqua un rétablissement suivi d'une rotation d'un quart de tour afin d'utiliser plus judicieusement le lit dans le sens de la longueur.

Un lit à une place, étroit, de sorte que pour ne pas tomber elle réfugia sa tête au creux de mon épaule, ce qui m'autorisait à me montrer plus hardi, à envisager en me tordant le cou d'essayer éventuellement de l'embrasser, mais, outre le fait que j'avais intérêt à faire oublier mon attitude cavalière de la veille, ses yeux perpétuellement au bord des larmes donnaient une telle gravité à la rencontre que je comprenais que nous ayons besoin de nous allonger pour faire le point et tenter de trouver un remède à ses tourments. D'ailleurs elle insistait, il fallait qu'elle me dise quelque chose, une chose qu'elle n'avait jamais dite à personne. Un secret ? hasardai-je. Mais déjà elle se relevait et versait la totalité de la petite bouteille de rhum dans la casserole avec du sucre avant de mélanger le tout et, d'une manière très égalitaire, d'en verser le contenu dans deux bols grand format, comme ceux dans lesquels on nous apportait le beurre autrefois, un beurre de ferme très salé, décoré sur sa surface de demi-lunes imprimées en série à l'aide d'une cuiller de bois.

Par commodité, afin de ne pas nous ébouillanter, nous nous retrouvâmes bientôt assis à siroter du bout des lèvres le grog fumant, et, si l'on considère notre position précédente, il m'apparaissait comme une évidence désastreuse que je venais de rater une chance historique, comme si les courbes de la rencontre venaient de passer par un point tangentiel avant de s'incurver à nouveau et de s'éloigner irrémédiablement l'une de l'autre. Alors, me rappelant ce qui m'avait valu cette situation avantageuse, sans éloigner les lèvres du bol, timidement, courageusement, comme on se jette à l'eau : tu voulais, je crois, me dire quelque chose ? Mais elle ne répond pas, se réfugie dans un exercice de fumigation au-dessus des vapeurs fortement alcoolisées, et comme je crains qu'elle ne regrette de m'avoir entraîné jusque chez elle, qu'elle s'imagine que je m'imagine des choses, qu'elle cherche un moyen d'en finir avec le malentendu, je préfère prendre les devants. Si le grog n'avait pas été si chaud, je l'aurais avalé d'un trait et, reposant le bol d'une capacité d'au moins un litre sur la petite table près de son lit, je l'aurais chaleureusement remerciée pour sa collation, vraiment avec ce temps c'était exactement ce qu'il fallait, mais holà l'heure tourne, en regardant son réveil, c'est-à-dire en m'approchant à vingt centimètres du cadran, tout ce travail qui m'attend, et je me serais levé précipitamment, merci encore et à bientôt au hasard des couloirs et des amphis, dans ma fuite éperdue faisant craquer la marche maudite en redescendant l'escalier, de sorte que la vieille dame impotente m'eût demandé ce que je faisais là, oh rien, madame, rien du tout, n'allez pas vous imaginer, avant de mettre illico à la porte sa lectrice pour rupture de contrat, laquelle légitimement déciderait, suite à ce renvoi de me sortir de sa vie.

Mais j'y suis si peu entré, Théo, dans ta vie, les asymptotes ne se croisent jamais, d'ailleurs je ne vais pas t'importuner plus longtemps, je sais que tu n'es pas seule, j'ai cru comprendre que tu avais un ami, auquel je te charge de présenter mes excuses rapport aux incidents d'hier soir, le couvre-lit souillé, et c'est vraiment dommage que le grog ne refroidisse pas plus vite, sinon je serais déjà dans la rue sans attendre mon reste. Seulement je n'arrive qu'à me brûler l'oesophage, ce qui me contraint à certaines contorsions, si bien qu'elle sourit en me regardant, un petit sourire grimaçant que je traduis par : pauvre garçon, naïf garçon, stupide garçon, mais que, devinant mon mauvais esprit, elle corrige immédiatement : ce n'est pas grave, dit-elle.

D'ailleurs elle a décidé qu'elle ne voulait plus le revoir, l'ami supposé de cœur, pour mille et une raisons, et cette dernière, la veille au soir : il s'était montré trop désagréable à mon endroit. Ah bon ? Je n'en suis pas étonné plus que ça, mais du coup je me félicite d'avoir expédié sa couverture chez le teinturier. Cependant je ne voudrais pas être la cause de la rupture, sache que ça m'est tout à fait égal, ses insultes, la preuve en est que je ne me souviens de rien.

Mais ça allait certainement s'arranger, je me proposais déjà de jouer l'intercesseur, quand Théo posa son bol sur la petite table et fixa sur moi son beau regard triste luisant de larmes. Qu'est-ce que j'ai dit encore, ô surpuissant, qu'il ne fallait pas ?

C'est venu petit à petit, par bribes, entre deux sanglots. Une tragédie d'enfance comme il arrive parfois, qu'on tente d'enfouir au plus profond de soi, de remiser en force au rayon des affaires classées, futiles, sans conséquence, et qui resurgit, blessante, lancinante, faussant tout, désespérant tout, oublieuse de rien, drame surnaturel dont l'esprit et le corps ont conservé l'empreinte immatérielle plus sûrement qu'un trou dans la chair. Car il ne subsiste apparemment rien, ni plaies ni bosses, rien qui empêche de vivre, et pourtant quelque chose est là, en travers, qui depuis s'ingénie à tout gâcher. Et vous qui recueillez ces morceaux de mémoire brisée, coupante comme du verre, vous ne pouvez que demeurer à l'écoute, immobile et silencieux, démuni, privé du secours d'une parole consolante ou d'un geste de compassion, toutes choses déplacées, tenu à n'être que ce bureau d'enregistrement du malheur, ce greffier des pleurs, tout ouïe, qui regarde la souffrance et se résigne à n'en pas prendre sa part. Mais c'est promis, Théo, je ne répéterai rien, à personne. C'est ta part intime, douloureuse. Ça ne regarde pas les autres.

La nuit était bien installée maintenant, la lumière dorée du réverbère envahissait la pièce, dessinant sur le parquet la croisée agrandie de la fenêtre. Théo, dont les hoquets lourds de sanglots s'espaçaient après sa confession, se leva pour tirer un petit rideau imprimé de motifs floraux, suspendu à sa tringle de laiton, ménageant une pénombre approximative, de quoi tenir à distance les frayeurs nocturnes enfantines, avant de revenir s'allonger, le coude en appui sur l'oreiller, la tête posée sur la main, de son autre main me tirant par le bras, m'invitant à la rejoindre, de sorte que nous nous faisions face, les visages à quelques centimètres l'un de l'autre.

D'où l'intérêt de cette obscure clarté qui trouait le rideau de la fenêtre : je voyais les yeux de Théo briller, ses beaux yeux désemparés, presque implorants, au bord de s'en remettre au premier venu qui l'allégerait de son tourment. C'était tentant d'être celui-là, le bon docteur Tant mieux qui guérit les écrouelles du cœur, et sa bouche était si proche que ce fut précisément comme au jeu du docteur, c'est-à-dire, même pour un maladroit timide, un jeu d'enfant, de parcourir les quelques centimètres qui m'en séparaient. Mais à peine le temps d'y goûter, elle s'écartait bien vite, reprenant de la distance, il fallait qu'elle me dise encore certaines choses, elle voulait que tout soit bien clair, que je sache à quoi m'en tenir, qu'il n'y ait pas de zones d'ombre.

Il me semblait qu'après la première révélation le plus dur

était fait, que désormais je pouvais tout entendre, ce que je fis, avec la même attention, le même intérêt, et c'est vrai qu'à l'écouter on sentait qu'elle avait besoin de faire le point : la mort de son père l'avait tellement perturbée qu'elle s'était très officiellement fiancée avec un homme beaucoup plus âgé qu'elle, avant de rompre et d'accumuler les aventures, y compris féminines, de sorte qu'elle se sentait un peu perdue, et je comprenais qu'au milieu de cette galaxie d'une complexité cosmique elle cherchait à m'expliquer qu'elle aurait du mal à me faire une place. Ce qui témoignait d'une grande honnêteté de sa part, même si j'estimais quant à moi que ma conjonction planétaire se présentait sous un jour plutôt favorable. Mais, sachant à quel point le ciel est changeant, redoutant d'avoir à attendre cent sept ans le prochain passage de ma belle comète, je me demandai s'il était vraiment aussi flatteur qu'elle voulait bien le prétendre qu'elle me considère différent des autres, alors qu'à la vérité je ne demandais pas autre chose qu'à ressembler à ceux-là qui l'avait serrée dans leurs bras.

Aussi, abusant de mon rôle de confident, aspirant de tout mon cœur à rejoindre le lot commun de la normalité, je me risquai à glisser la main sous son chandail noir qu'elle portait à même la peau, laquelle main remontant délicatement du bout des doigts dans son dos fut bientôt arrêtée par l'agrafe d'un soutien-gorge. Un événement éclairant sur la nature de Théo, dont le comportement qu'on eût abusivement – des observateurs peu attentifs – attribué à une révolution sexuelle en marche (dont j'avais à l'écouter raté le démarrage) ne cadrait pas du tout avec les mœurs vestimentaires beaucoup moins rigides de ladite révolution. Ainsi Théo avait de la tenue. De sorte que, rassuré par cette découverte, j'étais disposé à recevoir l'ultime confidence. Car il y avait encore une dernière chose (la bouche s'était à nouveau écartée, et je commençais à être un peu las d'être sans cesse interrompu). Oui, Théo ? Non, cette fois elle avait trop honte. Mais si, dis-moi, qu'est-ce que j'étais susceptible maintenant de ne pouvoir entendre ? Nous avions feuilleté ensemble les pages les plus secrètes, les plus intimes, du journal de ses blessures, quelle coda, quelle note explicative porterait un éclairage nouveau sur ses grands yeux tristes ? Ce ne pouvait être qu'une information de second ordre, honteuse peut-être, mais entrant dans le cycle normal des aléas de la vie.

Je sentais fléchir ma capacité à m'émouvoir, montrant même quelques signes d'impatience, maintenant que j'avais éprouvé du bout des doigts le grain de sa peau. Alors dis-moi tout, Théo, et qu'on n'en parle plus, que cesse ce ballet cruel de ta bouche à la mienne. Elle hésita, puis, après un moment de réflexion, non, vraiment non, que je n'insiste pas. J'essayai de la mettre sur la voie ainsi que je l'avais fait précédemment. C'était grave ? Elle s'en remettrait ? Y aurait-il des conséquences ? Non, non, qu'est-ce que j'allais imaginer, d'ailleurs elle regrettait de s'être inutilement avancée, et puis il n'y avait pas de quoi en faire un plat, et puis c'était son affaire après tout. Je n'avais rien demandé mais comme tu voudras, Théo. Et alors que nous amorcions un nouveau rapprochement je pensais au pire, passant en revue un catalogue de l'inavouable : coucher avec un professeur pour connaître les sujets d'un examen ? faire le trottoir ? épouser un banquier ? se compromettre avec un juge ? s'engager dans la police ? Mais on verrait plus tard car Théo, bras en l'air, retirait son chandail, et les bonnets blancs de son soutien-gorge trouant soudain la pénombre, vous pensez bien, il y avait autre chose à penser.

Le lendemain, on s'en veut. Non de ce qui s'est passé, pour quoi l'on rend grâce à Théo, au ciel et à la terre entière, mais de s'être conduit comme un mufle. Pas avec la belle, évidemment – nous (pluriel de majesté pudique) pêchâmes plutôt par excès de délicatesse –, mais avec le temps : n'en avoir pas su goûter chaque instant, pleinement, successivement, à sa juste valeur. Prenez les bonnets blancs, par exemple, comme deux serre-livres pour œuvre de chair, qui creusent entre les seins gonflés ce sillon-entonnoir où s'engouffrent comme dans un trou noir le regard, la lumière et le désir, avec leurs fines bretelles qui coupent à la perpendiculaire les clavicules, comme à la réflexion tout est allé trop vite. Pourquoi s'être précipité sur l'agrafe dans le dos, s'être acharné, quoique délicatement, à la défaire, et à triomphalement, quoique humblement, ôter précipitamment le tout, au lieu de profiter au ralenti de cette éclosion, de cette libération des deux seins encagés qui, une fois l'agrafe scindée en deux, se rendent lâchement à la pesanteur, s'abandonnent, une demi-aréole brune pointant par-dessus la dentelle du bonnet, comme un soleil de nuit émergeant de la blancheur, les bretelles glissant lentement sur les bras pendant que les épaules semblent vouloir se faire toutes petites, se rétractent comme pour se glisser dans un passage étroit, s'extrayant par une contorsion d'illusionniste chevronné de cette cangue de tissu satiné, provoquant au passage une compression du sillon central des seins, les bras se libérant l'un après l'autre – et, avant même de creuser la paume de la main pour y nicher ces perles d'eau jumelles, que coûterait de détourner un instant son attention vers le soutien-gorge à terre, le délaissé, comme un cocon rejeté par les ailes du papillon, si riche pourtant des promesses tenues. Et ce n'est qu'un exemple. Vous imaginez la suite.

Et donc on s'en veut. On aimerait revenir en arrière, se repasser le film de la soirée, au ralenti, avec arrêt sur image, en se dédoublant, en sortant de son corps, ceci, autre exemple, afin de jouir des jambes de la belle allongée ceinturant votre taille, ce qui vous a forcément échappé, cela se passant dans votre dos, et d'ailleurs dans le même temps vous plongiez vos yeux dans ses yeux écarquillés. Or c'était forcément du joli. Et ainsi mille choses délicieuses. A revoir, donc. Et la meilleure façon, à défaut de trouver la clé qui remonte le temps, c'est d'y revenir.

C'est pourquoi le lendemain (alors que la nuit précédente a été courte : la lectrice, craignant d'être surprise, vous a renvoyé sur les coups de deux heures, si bien que n'étant pas autorisé à allumer dans la cage d'escalier vous avez même fait craquer la fameuse marche, la cinquième, pourtant ce

215

n'était pas faute qu'elle vous ait prévenu, et compter jusqu'à cinq ce n'est en principe pas sorcier, mais sans doute êtes-vous parti du mauvais pied) vous revenez. Il ne vous souvient plus de quoi vous étiez convenus en vous quittant : nous revoyons-nous, oui, non, peut-être, demain, un autre jour, ou demanda-t-elle à réfléchir ? Pour vous, pas besoin de se torturer les méninges : c'est tout vu – un goût de revenez-y. Pourtant vous doutez un peu à mesure que vous vous approchez de la grande demeure en pierre, frissonnant dans votre caban marine qui n'a pas eu assez de quelques heures pour sécher, car le retour nocturne s'est fait pédestrement, sous la pluie, faute de bus à cette heure, quant à prendre un taxi vous n'y êtes pas du tout. Et si l'accueil n'était pas à la hauteur de vos espérances ? Si vos deux pensées un moment conjointes avaient bifurqué au lieu de cheminer de concert ? Mais non, vous n'avez pas rêvé, tout de même.

Vous n'avez pas rêvé, vous posez pour vous en assurer une main sur votre épaule endolorie par la morsure féroce de la belle, mais il apparaîtra bientôt que la nuit n'a pas porté à chacun le même conseil. Il ne vous reste plus long-temps avant que s'envolent vos illusions. Le temps que Théo descende ouvrir la porte après que vous avez appuyé sur le petit bouton de cuivre encastré dans sa couronne de marbre, et qu'elle vous découvre, s'étonnant, la mimique boudeuse : ah, c'est toi. Bien sûr, qui d'autre ? Eh bien, par exemple, celui-là que vous n'avez pas vu arriver sur vos talons et auquel par-dessus votre épaule elle adresse un large sourire, comme si soudain vous étiez devenu transparent. Alors vous vous retournez et à la seconde vous le détestez. Eût-il fait bonne figure en croisant votre regard que vous l'eussiez détesté tout autant pour ce sourire à lui adressé, mais il a l'extraordinaire aplomb de vous considérer vous-même comme un parfait intrus, et de haut (il profite honteusement de vous dépasser d'une tête), car enfin qui est arrivé le premier, et des deux, qui est l'importun, l'imposteur, l'incroyablement sans-gêne, le non-respectueux de la préséance ? Et ce n'est pas sa figure d'angelot, chevelure bouclée yeux clairs, qui me ferait lui donner le bon Dieu sans confession. Encore que, le bon Dieu, qu'il le prenne, quelques leçons de morale assenées par le Maître ne pourraient que lui faire du bien, mais Théo ? Et Théo, pourquoi continue-t-elle à lui sourire chaque fois que leurs regards se croisent, au lieu qu'elle me réserve une mine de pleureuse, cet air d'éternelle suppliciée dont j'avais entrepris de panser une à une les plaies ? Quel est ce charlatan, cet homme-médecine, qui lui redonne le sourire, pendant que je suis là à tenir la chandelle ? Elle me présente Diego. Un ami espagnol, se croit-elle obligée de préciser.

Bien sûr, avec un nom pareil, mais je ne me souvenais pas qu'elle l'eût cité dans sa seconde confidence parmi ses prétendants – ou dantes. Au milieu des prénoms vernaculaires, une touche exotique ne m'aurait pas échappé. Or elle n'avait pas eu matériellement le temps de le sortir ex nihilo de son chapeau dans la matinée, et ce n'est pas moi qui l'avais fait miraculeusement apparaître comme un mauvais génie en appuyant sur une sonnette. Elle avait donc cherché délibérément à me le cacher. La troisième confidence ? Mais était-ce vraiment honteux d'avoir un amoureux d'outre-Pyrénées ? Ou alors, je ne voyais pas d'autre solution, c'était un petit-fils de Franco. Du coup, tout s'expliquait. Pas de quoi se vanter, en effet. Avouer une telle forfaiture devant un compagnon de route de la cause mongo-aoustinienne, c'était se condamner à comparaître devant un tribunal du peuple – et pas tendre, le peuple, avec les ennemis de classe. Sûr, elle risquait gros : interdite de cellule ou quelque chose de ce genre.

Il y avait pourtant un point qui me chiffonnait. Honteuse peut-être, mais elle semblait y tenir, à son phalangiste, s'excusant auprès de lui d'un regard attendri tandis qu'elle me prend par le bras et m'entraîne à l'écart sur le trottoir, m'expliquant qu'elle veut m'expliquer. Quoi, Théo ? Je ne suis pas idiot, je n'ai pas les yeux dans ma poche, j'ai beau ne pas y voir très clair, je ne suis pas aveugle tout de même. Libre à toi de te compromettre avec les garrotteurs, la révolution prolétarienne saura reconnaître les siens, mais, quand la pensée mongo-aoustinienne éclairera le monde, je ferai tout ce qui sera en mon pouvoir pour empêcher qu'on rase ta belle chevelure, ma Théo chérie. Ou peut-être la ramasserais-je pour y enfouir la face, revisiter à travers son parfum les heures bénies de notre nuit commune en pleurant sur mon bel amour perdu. Mais ne te fatigue pas à me raconter en prenant des gants ce qui crève les yeux, rejoins vite ton hidalgo, et ne t'inquiète pas pour moi, j'ai de beaux souvenirs, et pour longtemps. Avec bien moins, quelques images floues d'une jolie noyée, j'ai meublé de longues années ma rêverie. Tu devines alors qu'avec ce que tu m'as donné j'ai de quoi tenir une éternité.

Tu me donneras des nouvelles de Jean-Arthur ? Je n'y manquerai pas, Théo, mais je crains que son histoire désormais ne finisse pas au mieux, que ses projets matrimoniaux avec la sœur de son camarade ne tombent à l'eau. Mais il faut que tu me laisses à présent, j'ai à pleurer.

Cette manie des larmes – l'occasion était belle : un chagrin d'amour, du moins on ne pouvait nier un air de ressemblance –, elles ne se firent pas prier pour couler, sûres de leur légitimité, peu suspectes de sensiblerie, cette fois la cause était noble. Un peu trop, peut-être, comme si elles profitaient de la situation, pompiers toujours sur le qui-vive appelant de leur vœu un grand feu à éteindre, et peu importe l'incendiaire, comme si leur zèle ne traduisait qu'un besoin physiologique d'épanchement, qu'elles sautaient sur l'aubaine mais qu'au fond elles se moquaient bien de ma peine. Du coup, ce soupçon d'insincérité, ce réflexe de grandes tragédiennes, me faisait douter de la vraie nature de mes sentiments. Car si, de là où j'étais, m'éloignant à pas lents de la grande maison de pierre, courbant le dos sous le poids de mon affliction, je me sentais l'âme d'un vieil aventurier, cœur brisé et peau tannée, je ne devais pas perdre de vue que cette rencontre se résumait somme toute à deux soirées (dont la première ne m'avait laissé aucun souvenir) encadrant une journée pendant laquelle j'avais surtout lutté contre les effets dévastateurs des mélanges gyfiens. Cela suffisait-il pour s'inventer une histoire ?

Il subsistait un mystère cependant : qu'avais-je raconté dans mon délire éthylique, que la belle, en dépit de mon attitude cavalière, m'eût choisi pour confident ? Quels propos par moi tenus, entre deux tentatives de baisers volés, l'avait convaincue de me dévoiler l'envers de son décor d'yeux tristes ? Car rien ne la poussait le lendemain à s'inquiéter de ma santé en accompagnant Gyf jusqu'à ma cellule, qui plus est à y accomplir les gestes les plus humbles pour y faire place nette et effacer les errements de la veille. Aussi improbable que cela pût paraître, elle avait souhaité, elle, Théo, bonnets blancs yeux noirs, me revoir, moi, Jean-Arthur, lunettes cyclopéennes. Ce qui signifie que dans ses pensées j'avais tenu, quelques heures, le rôle inespéré de l'espéré. De là à prôner un dérèglement alcoolisé des sens, c'était sans compter avec un lendemain cataclysmique et jusqu'à la prochaine fois dissuasif. Mais, au final, car mon état naturel l'avait naturellement déçu, c'était décevant de décevoir, de n'être pas celui-là, l'hidalgo, par exemple, qui emporte. Je n'avais donc pas forcément avantage à traîner les épaules basses dans le quartier, mettant pitoyablement en scène ma prétendue peine d'amour. Mieux valait m'esquiver au plus vite, d'autant que je ne les imaginais pas, pressés comme ils semblaient l'être tous les deux de se retrouver, me suivre du regard jusqu'à ce que je m'évanouisse à l'angle de la rue, à peu près certain que l'amitié franco-espagnole avait déjà fait un grand pas en enjambant sans encombre la marche fatale.

Plus que mes larmes, ce qui traduisait mon désenchantement, c'était cet empressement à quitter les lieux, cette façon d'accélérer progressivement l'allure jusqu'à bientôt courir, et de plus en plus vite, non pas à en perdre haleine, car j'avais au contraire l'impression d'un souffle inépuisable, d'effleurer à peine le trottoir, comme en rêve où il m'est si facile de marcher en état d'apesanteur, m'élevant de quelques mètres en prenant appui sur l'air avec mes bras repliés écartés, le pouce sous l'aine, progressant ainsi sans encombre au-dessus du sol. Je sentais si peu les effets d'essoufflement et de fatigue que je ne comprenais pas pourquoi les courses chronométrées du collège m'avaient laissé à ce point des souvenirs d'agonie. Les rues défilaient, comme au cinéma ces décors mouvants dans la vitre arrière d'une voiture immobile, je les enchaînais à l'aveuglette, slalomant entre les véhicules en traversant hors des passages cloutés les chaussées encombrées, sautant par-dessus les obstacles imprévus – des cageots devant la boutique de l'épicier –, bousculant dans ma précipitation les passants trop lents à s'effacer devant ce demi-furieux qui ne criait même pas gare, ne s'excusait même pas, n'écoutait même pas les mises en garde des automobilistes, leurs klaxons, leurs injures, ne voyait même pas.

Car mon horizon s'était rétréci encore. Les larmes obstruant les quelques dixièmes négatifs de vision qui me restaient rendaient ma course encore plus aléatoire, diluaient les dernières impressions de réel avec quoi, quelques points lumineux, je constituais d'ordinaire ma carte du ciel à usage terrestre. Ma vitesse de course m'interdisant toute mise au point, le monde se découvrait à mesure qu'il se jetait sur moi, de sorte que j'avais la sensation d'évoluer à l'intérieur d'un cristal aux mille reflets. Le visage de Théo s'interposait entre mon esprit et ce monde des apparences floues, se brouillait à son tour, si bien que pour le retrouver je mobilisais toutes mes pensées, et alors qu'il semblait définitivement perdu je m'employais à le recomposer à partir d'un élément précis, la petite mouche, par exemple, et, de là, j'esquissais son sourire, le plissement de ses yeux, l'éclat profond de son regard, mais bientôt les traits s'effaçaient à nouveau au point que j'en venais à douter de ce qui s'était réellement passé, comme la petite Bernadette dans son couvent de Nevers plus très sûre d'avoir vraiment aperçu la longue dame blanche dans sa grotte au lieu-dit Massabielle, ou Jeanne, au cours de son procès, incapable de jurer avoir entendu les trois envoyés du ciel au-dessus de l'arbre-aux-fées, Jeanne qui de retour dans sa tour froide à Rouen devait se demander si ça valait bien la peine de risquer le bûcher pour des voix incertaines. Peut-être m'étais-je contenté d'emprunter quelques traits à Théo pour nourrir ma rêverie, comme je l'avais fait pour ma noyée. A une différence près, cependant : je tenais une preuve, et bien réelle, cette fois : la profonde empreinte laissée dans ma chair par les dents de la belle, laquelle, comme une bonne fée, s'était donc bien penchée au-dessus de mon épaule. J'avais au moins cette certitude. Ce qui évidemment ne préjugeait pas de la suite. Ce n'était peut-être après tout que sa façon à elle de marquer vampiriquement ses soupirants. Sans aller au-delà. Anesthésié par les grogs, encore sous le coup des abus de la veille qui m'avaient occasionné cette ablation de plusieurs heures de mon existence, les effets hallucinatoires avaient pu se prolonger. Peut-être commençais-je seulement à émerger d'une longue traversée brumeuse en reprenant pied sur les quelques hectomètres de bitume dont avait besoin ma foulée inédite.

C'est ainsi que, toujours courant, je butai bientôt sur un attroupement que je franchis en force malgré les protestations de ses membres, me frayant un passage au milieu des corps serrés, puis me glissant sous un cordon de bras reliés par les mains, débouchant alors sur un espace ouvert, vaste place pavée, libre de toute circulation, étrangement déserte à cette heure, m'élançant donc seul à travers ce terrain dégagé, sans entraves, comme une scène offerte à la mesure de ma peine d'amour perdu. Et là, comme il arrive souvent, ce grain de sable dans la conscience sur quoi achoppent la rêverie et les plus belles constructions de l'esprit : à peine je songeais à m'étonner de cette anomalie, de cette absence d'embouteillage et de piétons en un lieu habituel-

lement si fréquenté, que, précipité hors du champ clos de
mes pensées, je trébuchai sur un obstacle imprévu et m'éta-
lai lourdement de tout mon long sur les pavés, ayant juste
le temps de saisir au vol une phrase hurlée, quelque chose
comme qu'est-ce que c'est que cet abruti, ou imbécile, ou
triple idiot, mais de toute manière peu avenante, alors qu'il
eût été plus légitime de s'inquiéter de ma santé. Ne
m'étais-je pas blessé ? rien de cassé ? car l'atterrissage sur
les pavés avait été rude.

En fait, la douleur au genou était si vive qu'elle me
ramena à mon Jean-Arthur. Il y avait sans doute là une
forme de dépit, mais j'imaginai aussitôt, cette douleur, l'en
faire profiter. Car enfin, qu'est-ce qu'il croyait, l'éclopé ?
Qu'on l'accueillerait au retour de ses vagabondages avec des
brassées de roses ? Que toutes les femmes se jetteraient à
son cou ? Qu'on prêterait une oreille attentive à ses histoires
de fils du désert ? Ne savait-il pas que ces retours sont
improbables et n'annoncent rien de bon ? Maintenant que
j'allais avoir du temps, que rien ni personne ne viendrait me
distraire de mon grand œuvre, je me promis de m'occuper
à nouveau de lui. Et alors que la douleur irradiait, j'inventai sur le champ de plonger le féroce infirme dans un coma
cryogénique duquel il y avait peu de chance que la belle,
même par une morsure à l'épaule, le sorte jamais.

Mais l'autre insistait, le peu compatissant, dont je voyais
les bottes noires aux semelles crantées s'approcher. Et
comme je levais les yeux vers lui, il apparut sanglé dans une

épaisse vareuse en cuir et casqué d'une sorte de saint-sacre-
ment tout feu tout flamme, à quoi, cet accoutrement, j'iden-
tifiai un spécialiste de la lutte contre les incendies, mais sans
même penser à m'inquiéter de sa présence, détournant
ensuite la tête à la recherche de ce pavé mal embouché qui
avait causé ma chute, et en fait de pavé rien d'autre qu'un
long tuyau au diamètre imposant barrant la place, ayant
alors ce réflexe de le suivre machinalement du regard sur
ma droite, lequel tuyau, quelques mètres plus loin, quittait
le sol et s'élevait jusqu'en haut de l'échelle dressée sur un
camion rouge au sommet de laquelle deux pompiers, cram-
ponnés à la lance, tentaient de résister à la pression de l'eau
brutalement expulsée, un jet puissant comme un arc qui
retombait en gerbe sur le toit de la cathédrale Saint-Pierre.

Mais à la place du toit il ne subsistait déjà plus qu'une
charpente soulignée en traits de feu, d'où s'élevaient des
flammes gigantesques se tordant en fuseau, lacérant la nuit
tombante, donnant l'impression parfois de plier sous la
pression de l'eau puis repartant de plus belle à l'assaut du
ciel d'hiver. Les poutres calcinées s'écrasaient avec fracas
dans le brasier dont le ronronnement puissant couvrait les
directives hurlées par un homme en uniforme. Les vitraux
de la grande nef n'étaient que plaies rougeoyantes, comme
si par cette Pentecôte à l'envers, las de prêcher l'amour
dans le désert, l'Esprit blessé quittait ce monde.

J'étais donc aux premières loges, témoin aveuglé par
mille petites étincelles dans les yeux à qui le peu compa-

tissant intimait maintenant l'ordre de déguerpir, et le plus
étrange c'est qu'au lieu de m'étonner du sinistre, de déplo-
rer qu'un aussi prestigieux édifice parte en fumée – mais
c'était bien le jour, au fond –, au moment de reprendre ma
course, boitant à demi, après un dernier regard vers les
flammes, j'ai pensé : Théo, pourquoi m'as-tu abandonné ?

IV

Gyf avait dû enfin réaliser son stock de couverts en argent, ou piller la sacristie de Logrée, mais, bénéficiant d'une rentrée inattendue, il en avait profité pour porter son film, ou plutôt sa proposition séquentielle, ou spectre iconographique, ou fulmination onirique, à développer. Il lui restait maintenant à travailler sur la bande-son, ou espace auditif, ou compulsion sonore, ou problématique vibratoire, parce que les musiciens autour du lit d'amour se contentaient en fait de mimer, n'ayant aucune connaissance des instruments dont ils étaient censés jouer, et d'ailleurs à l'époque le cinéaste, ou fédérateur d'images, ou clarificateur de volumes, ou duplicateur de lumière, ne possédait pas de magnétophone, si bien que pour le violon, par exemple (qui était un fac-similé en carton-pâte), Gyf eût pu tout aussi bien engager La Fouine, quoique le côté incontrôlable de celui-ci eût peut-être contrarié les ébats des acteurs, ou vecteurs physiologiques, ou présupposés médiumniques, ou baiseurs de fond, dans leur grande scène d'amour (ou imbrication sexuelle, ou fusion cellulaire, ou cantate spatio-temporelle). Mon rôle consistait – ce qui m'avait valu la visite de Gyf – à mettre en musique cette partition muette, et c'est pourquoi, maintenant que le film, ou ce qu'on voudra, était enfin visible, j'avais apporté mon violon pour, sitôt le match terminé, assister à cette avant-première de Tombeau pour grand-mère.

La boîte noire sanglée à la perpendiculaire sur le porte-bagages du Solex, mon sac de sport coincé entre les jambes, les pieds calés sur le petit marchepied, le plan d'accès à la ferme grand-maternelle scotché sur le guidon, il m'était d'autant moins commode de garder ma ligne que la route était mouillée et que dans ces conditions, outre les risques de dérapage, le galet entraînant la roue avant avait tendance à patiner, de sorte qu'il me fallait, tout en pédalant vigou-reusement, faire pression sur le bloc-moteur à l'aide de la manette verticale plantée dans le cylindre et terminée par une boule en Bakélite noire, afin que la pièce motrice reste en contact avec la gomme humide du pneu. Sinon, le moteur s'emballait, tournait à vide, vous forçant à un sur-place que l'équilibre hésitant de l'ensemble, dû à un centre de gravité haut perché, rendait périlleux.

Ce qui ne m'empêchait pas, comme à chaque fois, de chanter à tue-tête et de monologuer à voix haute, livrant aux éléments aériens mes pensées les plus profondes, mes tourments les plus intimes, m'autorisant même à invectiver un piéton ou un cycliste qui me coupait imprudemment la route, sûr de mon impunité, le vent de la vitesse et le ron-ronnement du moteur couvrant, du moins je m'en persuadais, mes propos véhéments. Mais ne les couvrant pas en fait, car je compris bientôt que j'avais eu tort de traiter de paysan stupide cet agriculteur qui sortait d'une cour de ferme en poussant une brouette dans le fumier de laquelle j'eus sans doute atterri sans un coup de guidon hardi qui me fit entrer dans sa cour, m'obligeant à contourner un puits, slalomer entre les poules et repasser en pédalant de plus belle devant le poing menaçant du maître des lieux.

Une fois hors de portée de l'irascible, je reprenais à tue-tête mes réflexions solitaires, improvisant des paroles sur l'air de circonstance, du genre : C'est si bon, c'est si bon / Théo qui m'mord l'épaule / et le lend'main c'est drôle / elle me plaqu' pour de bon, ou encore Tout va très bien, ou Dans la vie faut pas s'en faire, car si je considérais, par exemple, mon compagnonnage avec La Fouine que je venais de quitter sur la place du village et qui, depuis que je lui avais confié mon violon, jurait qu'entre nous c'était à la vie à la mort, deux possibilités s'offraient à moi : soit y reconnaître le petit sourire familier quoique insistant maintenant du destin, soit toucher le fond de la désespérance, mais le brouillard qui m'environnait en permanence, ce monde à peu près dans lequel j'évoluais depuis mes deuils en série et l'abandon de mes lunettes ne me permettait pas encore de l'apercevoir avec certitude. Aussi, prenant le ciel à témoin de mon infortune, j'apostrophai une lune blafarde égarée entre chien et loup : Active ta lanterne, famélique Lune, éclaire mon chemin, ou j'envoie dans ton ciel un grand soleil noir qui blanchira encore davantage ta face de Pierrot triste et à côté de quoi les étoiles ne seront plus que des lucioles naines, d'éphémères étincelles de pierre à briquet, car mon étoile à moi illumine mon empyrée d'orages ardents, enflamme la masse des ténèbres, irise les nuits d'hiver, fait fondre nos cœurs-banquises, or le monde est comme une crème glacée en sandwich entre les pôles, ce n'est pas un grand feu dévastateur, mais le diable blanc, le spécialiste de la mort en douce, qui nous emportera dans son désert à l'envers, c'est pourquoi, pâlichonne Lune, chaudière avortée, face-à-main, pierre froide, je vais t'avouer le nom de ta grande rivale, celle qui te ramènera au rang de jaune d'œuf infécond, et fera de la Voie lactée un fleuve de laitance pour ensemencer de sa beauté théologale l'Univers. Faites place, les créatures de la nuit, dégagez l'espace, préparez-vous à accueillir un grand prodige : une nouvelle étoile est née, plus éclatante que Véga, plus belle que Cassiopée, plus lumineuse qu'Altaïr : Gloria in excelsis Theo – ne quittant mon planétarium intérieur que pour mettre pied à terre devant les panneaux de circulation et coller le nez sur l'émail bleu des petites flèches qui indiquent en lettres blanches les lieux-dits.

C'est ainsi qu'après m'être familiarisé avec la toponymie (Les Haies Noires, la Bosse du Diable et autres invitations au voyage), avoir tourné en rond pendant une bonne heure et exploré systématiquement les chemins vicinaux de la campagne logréenne – et certains plusieurs fois –, je tombai par hasard sur la ferme de la grand-mère à l'érotique tombeau, dont il m'apparaissait de plus en plus qu'elle avait, la grand-mère, dans cette histoire, bon dos. La description donnée par son pieux héritier ne laissait guère de doute : sur la boite aux lettres clouée contre un poteau à l'entrée du chemin on pouvait lire Paradoxe et Equivoque. Ce qui était censé représenter pour le facteur les patronymes de Gyf et de sa dernière compagne, sans savoir vraiment qui était Paradoxe et qui Equivoque, mais certainement de la famille Ambiguë.

C'était une petite maison de plain-pied, à l'étable contiguë, comme il s'en rencontre des milliers dans la campagne au nord de la Loire, longère au toit d'ardoise, percée de deux fenêtres encadrant une porte d'entrée à double vantail – la partie inférieure pouvant demeurer seule fermée, empêchant ainsi les animaux de s'inviter dans la cuisine. Gyf, quand il en parlait, forçait un peu sur le caractère bucolique du lieu, sa puissance tellurique, sa capacité de ressourcement, les mots lui manquaient, disait-il. Or avant même de pénétrer dans la maison j'aurais pu déjà décrire le plafond bas, les poutres apparentes noircies par la fumée du foyer, le sol en terre battue, la cuisinière à charbon et la table recouverte d'une toile cirée collante tombant sur les genoux des convives assis de chaque côté sur des bancs. Ce qui n'exigeait pas de ma part une connaissance approfondie des coutumes et de l'habitat local : nous nous approvisionnions en lait dans une ferme semblable autrefois, grâce à quoi, après avoir assisté à la traite (le grand fils, trayon en main, profitant d'être seul pour expédier un puissant jet de lait à travers l'étable et établir un nouveau record de distance) et découvert certaines pratiques inconnues de nous (comme de poursuivre le repas en retournant l'assiette), nous nous empressions sur la route du retour de vérifier les effets de la force centrifuge (et ainsi de comprendre le mouvement des planètes) en faisant tournoyer à bout de bras le bidon de lait sans en renverser une goutte – sauf cette fois où nous dûmes retourner faire le plein.

La grand-mère de Gyf avait apporté quelques améliorations, notamment en couvrant le sol d'une chape de ciment, mais, pour l'essentiel, la décoration intérieure était d'époque (notamment le bandeau de la cheminée bordé d'un tissu vichy à petits carreaux rouge et blanc, et le très caractéristique abat-jour en pâte de verre blanc, cône aplati au bord ondulé transparent, muni d'un contrepoids de céramique en forme de poire bourré de petits plombs qui permet d'en régler la hauteur), la touche du propriétaire actuel se reconnaissant à un désordre terrassant pour qui – une poule, par exemple – se fût avisé d'y retrouver ses poussins.

Gyf en était bien conscient, qui demandait de ne pas faire attention. Mais difficile à moins de fermer les yeux, et peut-être aussi de se boucher le nez : une vaisselle de plusieurs jours dans l'évier, une cuisinière antique qui avait conservé les stigmates de plusieurs siècles de cuisson, sur la table les bols du matin et la gamelle du chat posée sur des notes de cours, aux murs des torchons peints dans un registre expressionniste (lorsque je me hasardai à demander au peintre la symbolique de ce chardon coiffé d'un Ovni, je m'en voulus de n'avoir pas reconnu immédiatement le Che et son célèbre béret), dans un angle un balai déguisé en marionnette et, dans un fauteuil en cuir, visiblement défoncé étant donné la position basse de ses occupants, le chat dormant sur les genoux de Paradoxe ou d'Equivoque, mais une jolie blonde aux longs cheveux fins, encadrant un visage transparent, et qui relançait la lancinante question : mais comment Gyf affublé de telles lunettes parvenait-il à séduire de telles beautés ?

Le même avait également convoqué un ami guitariste avec lequel je devais créer moins une musique – quelle idée – qu'une ambiance, et qui se signala par une arrivée fracassante (froissement de tôles). D'ailleurs ses premiers mots après avoir franchi la porte furent pour s'inquiéter du propriétaire du Solex si mal rangé dans la cour et qu'il n'avait vu que trop tard, mais que celui-là se rassure, apparemment il n'y avait pas de casse. Me présentant comme celui-là, le propriétaire tout de même inquiet (maintenant que j'établissais une relation entre le fracas et mon cyclomoteur), je me précipitai au-dehors. La 4L stationnée devant la grange, plus ou moins habilement décorée (selon qu'on évoquait la technique du dripping ou qu'on envisageait un long arrêt sous un échafaudage de peintres en

235

bâtiment) et à laquelle manquait l'aile avant, était, c'est certain, beaucoup plus à plaindre que mon Solex, mais, après l'avoir remis sur ses béquilles, il me fallut tout de même redresser le guidon bien dans l'axe, la roue avant serrée entre les cuisses, ce qui n'arrangea pas l'état de mon pantalon, de sorte qu'à mon retour dans la cuisine je nourrissais des sentiments mitigés à l'égard du nouvel arrivant.

D'autant plus que, tirant la couverture musicale à lui, il ne m'avait pas attendu. Penché sur sa guitare, il entamait une longue mélopée de sa composition qui disait : mama, mama, can I have a banana, repris en boucle, inlassablement, selon, expliqua-t-il, comme au bout d'un moment nous lui suggérions un changement de couplet, la méthode des ragas indiens qu'il avait bien sûr adaptée à son jeu et remixée avec diverses influences notamment afro-précolombiennes (autant dire l'Amérique avant l'ouverture du détroit de Béring) et folklo-ethnographiques (il avait enregistré son grand-père dans une version logréenne des Filles de Camaret). Personnellement, je reconnaissais le système king-kong : mama mama, king, can I have a banana, kong. Mais, ma culture musicale n'étant pas à la hauteur de celle de mon nouvel ami, je fus assez fier d'apprendre que j'avais établi, seul dans mon coin, un pont entre l'Orient et l'Occident, et comme enfin il envisageait de rajouter un peu de texte, me demandant au passage de l'aide (Gyf avait dû lui parler de mon Jean-Arthur), je lui suggérai : can I have pourquoi pas des chipolatas, ou des fraises melba, ou du gorgonzola (dans la mesure où ce n'était pas fromage ou dessert). Mama n'étant pas d'accord, nous passâmes dans la pièce voisine pour assister à la projection de Tombeau pour grand-mère.

Gyf avait aménagé l'étable en salle de spectacle, ce qui ne sautait pas aux yeux si on s'attendait à des fauteuils capitonnés et à une scène tendue de velours cramoisi. On aurait sans difficulté rendu la pièce à sa fonction originelle. Les mangeoires étaient toujours alignées contre le mur et les cloisons des stalles se reconnaissaient dans le praticable hâtivement bricolé qui tenait lieu de scène et devant lequel était disposée une dizaine de chaises dont certaines en tubes chromés entrelacés de fils de plastique rouge provenaient vraisemblablement de la salle d'attente d'un dispensaire. Selon le maître de cérémonie, on y donnait des soirées poétiques, ce qui devait s'entendre au sens large. C'est-à-dire ? La poésie est partout sauf dans la poésie, répliqua Gyf d'un ton très Paradoxe-Equivoque sans appel tout en balayant les miasmes littéraires d'un revers de la main. Comme j'avais un peu de peine pour mon Jean-Arthur, j'insistai pour obtenir quelques compléments d'information. Eh bien, pour le dernier spectacle, par exemple, on avait pu écouter un enregistrement réalisé clandestinement à l'intérieur des cales d'un cargo en construction. Mais Gyf regrettait que les ouvriers ne fussent pas venus, alors que pour la Belle et la Bête il avait refusé du monde. D'après le texte

de madame de Leprince de Beaumont ? Pas exactement :
une fille se déshabillait tandis qu'à ses côtés on tondait un
mouton. Je fis remarquer que c'était vraiment dommage
que je n'eusse pas accompagné la prestation de mon violon, rappelle-toi, Gyf, la laine de nos moutons, c'est nous
qui la tondaine, tout en esquissant quelques pas de danse
empruntés à La Fouine, et, comme devant son faible
enthousiasme je lui faisais remarquer la permanence des
thèmes érotico-bucoliques dans son œuvre, il me dit que je
n'avais encore rien vu – ce qui était vrai – et demanda à
madame Ambiguë de lui apporter un drap, celui du lit ferait
l'affaire, pendant que lui chargerait le projecteur, qu'il ins-
talla au milieu de la pièce sur un escabeau.

Le drap avait servi et, tendu dans la lumière au-dessus
du praticable, on pouvait même déceler l'origine de certaines taches, mais Gyf décréta que c'était la plus belle toile
qu'il eût jamais vue, que ça lui faisait penser à ce peintre
chinois ou coréen ou siamois d'il ne savait plus quelle
dynastie qui trempait son pinceau dans les larmes de son
amante. Du coup, par cette évocation délicate, on comprenait mieux devant cette œuvre brute que l'art était avant
tout un acte d'amour, et d'ailleurs ça lui donnait l'idée
d'une exposition sur le thème Les prodiges de la vie, une
exposition collective où chacun apporterait son drap –
avant lavage – et qui démontrerait que la création, confis-
quée par la classe possédante et ses pseudo-marchés de
l'art, est en réalité à la portée de tous. Et, alors que

238

Paradoxe-Equivoque venait de faire le noir, un disque lumineux dessina un tondo sur le suaire sacré.

Le premier plan représentait une ardoise d'écolier sur laquelle on lisait Tombeau pour grand-mère, même si, faute d'y voir clair, je ne lisais pas vraiment, mais on pouvait le deviner. Puis Gyf en personne effaçait les caractères avec une éponge, écrivait quelque chose à la craie et retournait l'ardoise, de sorte qu'on ne voyait qu'un rectangle noir bientôt suivi d'un plan aveuglant : la caméra filmait le soleil, le ciel, un oiseau en vol, le faîte des arbres, redescendait lentement et se fixait sur un lit vide au beau milieu d'un champ, un lit à l'ancienne, haut perché, avec ses lourds montants en bois sombre, et, aux dires de Gyf, c'était dans ce même lit qu'il avait été conçu. Après quoi un voile s'interposait devant la caméra, flottant légèrement au vent, à travers lequel on entrevoyait les silhouettes en ombres chinoises d'un homme et d'une femme. Le couple marchait en se donnant la main, toujours à l'abri du voile tendu que l'on découvrait être tenu à bout de bras par les musiciens et des filles en jupes longues et rien dans la partie supérieure. A l'approche du lit le voile tombait et, tandis que les amants nus grimpaient sur la couche, les filles s'égayaient et les musiciens, après s'être disposés en cercle, commençaient à jouer. Ceci reconstitué, car la caméra se tenait assez loin du lit et moi trop loin de l'écran, n'osant approcher ma chaise de crainte qu'on mette en doute mon intérêt pour la chose purement artistique, si bien qu'au moment où le film de Gyf prenait tout son sens j'avais beau cligner des yeux, la mystérieuse beauté ne se dévoilait qu'à travers son halo de brume.

Je reconnus cependant que Gyf avait raison : la supposée Yvette, identifiable à sa lourde chevelure, était bien dessus. Puis la caméra, dont j'espérais un zoom ou un travelling avant, après être restée pudiquement à distance et s'être attardée sur les amants, remontait vers la cime des arbres, le ciel, le soleil, et retour au noir. L'ardoise était à nouveau retournée, mais cette fois, dans l'ignorance du texte, je fus incapable de déchiffrer la prose gyfienne, or comme je me retournais vers le réalisateur, quand la lumière fut rétablie, il eut un petit signe de tête, comme s'il quêtait un acquiescement, du genre tu ne crois pas ? J'hésitai un moment, de peur de commettre une bévue, puis lui rendis un petit signe de tête similaire : signe que je croyais aussi.

Puis Equivoque et Paradoxe avaient quitté la salle de spectacle, bras dessus, bras dessous, sans un mot de commentaire, juste cette recommandation de Gyf à l'adresse du guitariste : n'oublie pas d'éteindre le projecteur quand vous en aurez terminé. Puis ils avaient grimpé l'échelle de meunier qui conduisait au grenier dont ils avaient fait leur chambre, pressés sans doute d'enregistrer la partition des soupirs amoureux, tandis que j'ajusterais mon violon sur les coups d'archet fantaisistes du musicien improvisé.

Gyf, tes lunettes, tu es myope ? Gyf s'arrête au milieu de l'échelle, surpris de m'y voir au pied, laissant filer à regret la longue jupe de sa compagne à travers le rectangle découpé dans le plafond entre deux chevrons, et, se retournant vers moi à contre-cœur, me regardant de haut, pourquoi cette question, le film était flou ? Non, non, enfin oui, mais pour moi seul, j'ai la vue trop courte pour atteindre distinctement l'écran, il me manque quelques centimètres, alors, si tu étais myope, Gyf, j'en serais heureux, pour moi bien sûr, car c'est une infirmité, et je ne la souhaite à personne, ou peut-être à toi quand même, car dans ce cas tes lunettes, si tu me les passais, elles me seraient d'un grand secours, par exemple pour ne pas donner mes coups d'archet à contretemps, car c'est pour le violon, bien entendu, pas du tout pour les filles, qu'est-ce que tu vas chercher, on est là pour la beauté du geste, on travaille pour l'art, et Gyf qui ôte sa monture, tu la connais ? De qui parles-tu ?

Mais il disparaît à son tour à travers le plafond, happé par les bras impatients qui se tendent vers lui et l'arrachent à la vue des Terriens, et ce ravissement, c'est le comble de la solitude pour celui, le plus lourd que l'air, qui reste rivé au sol, réduit, tête basse, à chausser les improbables lunettes dont l'extrémité courbe des branches est constituée d'un ressort spiralé qui épouse l'arrière des oreilles en cisaillant la chair, ce qui explique pourquoi les verres se plaquent contre les orbites, occasionnant un bourrelet de peau au-dessus des pommettes, si bien qu'il vous semble porter des prothèses de soudeur tant il est presque impossible de se frotter l'œil en glissant un doigt entre le verre et la paupière. Mais, hors ce détail esthétique, c'est vrai qu'on y voit plus clair. Dès ce moment vous vous identifiez à Gaspard Hauser sortant de sa cave, vous avez la sensation de partir à la découverte du monde. Vous entamez un rapide tour du propriétaire, duquel il ressort que l'état de la cuisine s'arrangeait mieux d'une vue brouillée, laquelle est généralement plus indulgente avec la crasse, les rides et autres imperfections. Au lieu que là, avec ce passage à la troisième dimension, cette mise en relief d'un morceau de pain sur la table, énigmatique soudain, ou cette apparition des cercles de vin imprimés par le pied des verres sur le bois, rien ne vous échappe. Du coup on devient critique, tout est motif à commentaire plus ou moins désagréable : les murs qui mériteraient d'être repeints, le sol d'être balayé, et le plafond débarrassé de ses toiles d'araignée. Même le Che, qui honnêtement ressemble moins à un chardon, apparaît plus ridicule encore avec son Ovni sur la tête.

Mais vous n'êtes pas au bout de vos peines de voyant. Reste à subir l'épreuve du miroir. Celui qui est suspendu par une chaînette à un clou près de la porte qui mène à la salle dite de projection. Or vous n'en êtes pas encore à ce stade où vous marchez sur un trottoir sans chercher votre reflet dans une vitre, où vous négligez votre double inversé. Qu'une glace se présente et c'est l'affrontement, le cruel face-à-face, cet éreintant, ce décourageant : c'est moi, celui-là ? vraiment ? Vous n'avez rien d'autre à me proposer ? Et peut-être que sans les lunettes je ne l'aurais même pas remarqué, ce petit miroir encadré d'une baguette chromée sphérique, à l'angle inférieur droit brisé découvrant un carton gris, mais il y eut soudain cet effroi au moment de baisser les yeux et de franchir la porte de l'étable : un avatar gyfien dans la glace.

Et la claire vision ne vous pardonne rien. Cette idée de vous-même avec laquelle vous vivez dans votre repli de brumes, dont tant bien que mal vous vous accommodez, que vous finissez par trouver presque acceptable, soudain la voilà impitoyablement dénoncée, laminée, anéantie : celui-là avec ces lunettes désespérantes, ces cheveux longs plaqués par l'humidité, ces joues mal rasées, celui-là que vous plaigniez quand il s'agissait de Gyf, celui-là, eh bien, inutile de se raconter des histoires, celui-là c'est vous. Et vous poseriez immédiatement l'effroyable monture sur la table si le guitariste à ce moment ne vous appelait, vous annonçant qu'il a remis le film en place, vous demandant même d'éteindre, ce qui vous arrange, et d'ailleurs, si vous deviez à jamais porter cette triste figure, vous opteriez pour une vie définitivement souterraine, au plus profond d'une grotte, tolérant à peine la lueur tremblotante d'une lampe à huile pour éclairer la main qui tient le fusain et trace sur la paroi un hymne à la beauté.

Mais le guitariste appelle à nouveau sa maman. Je l'interromps, lui suggère de rejouer ses deux accords – ou son raga logréo-amérindien, s'il préfère, mais sans le texte – sur lesquels je me faisais fort d'improviser. Et déjà Gyf a écrit sa phrase secrète sur l'ardoise, à nouveau le noir, puis le soleil avec ces petits spermatozoïdes noirs qui gigotent sur la pellicule. Maintenant l'oiseau est pleinement saisi dans son vol, et quelques connaissances ornithologiques suffiraient à l'identifier – le mouvement gracieux de ses ailes s'appuyant négligemment sur l'air (rien à voir avec mes rêves d'envol) – et puis les arbres dont on remarque immédiatement qu'ils ne sont pas seulement cette masse fibreuse,

244

chlorophyllienne, anonyme. Et le lit : un lit de grand-mère évidemment, lourd, massif, aux montants ouvragés, comme celui qu'apporte dans sa maison basse aux murs blanchis à la chaux et au toit de chaume Sean Thornton pour ses noces avec Mary Kate Danaher, un lit, Gyf avait raison de le souligner, propre à la conception, et sans doute était-ce ce même lit qui avait recueilli les derniers soupirs de la grand-mère, un lit de vie et de mort, en somme, un lit d'amour aussi à présent que les amants amenés derrière le voile tendu s'y couchent. Les musiciens s'approchent et entament leur pantomime. Appuyant à m'en couper le souffle le violon contre ma poitrine, je commence à improviser, tout en veillant à suivre les coups d'archet aléatoires de l'instrumentiste. Parfois au cours de leurs déplacements les danseuses à demi dévêtues, coiffées de fleurs, ondulant des bras, s'interposent entre l'objectif et le lit. Ce qui agace. On aimerait aussi que la caméra se rapproche, afin de mieux profiter de certains détails, mais on voit très nettement que Gyf a gardé ses lunettes, dont les verres réfléchissent un rayon de soleil. La jeune femme est sur lui maintenant, les jambes repliés de chaque côté du corps étendu de son amant, entamant un léger balancement de tout le buste, comme si elle était assise sur ces petits sièges mobiles qui équipent les bateaux dans les compétitions d'aviron. Sa masse de cheveux tombant devant son visage, il est impossible d'apprécier la beauté de ses traits, mais faisons confiance à Gyf. Ses seins également demeurent voilés, c'est rageant, alors qu'il suffirait qu'elle rejette la tête en arrière, mais il n'y a qu'à demander car, au même moment, de sa main elle écarte une mèche, ce qui n'ouvre pas de grandes perspectives sur sa poitrine, cependant un sentiment désagréable soudain vous envahit, comme un soupçon, ce geste il vous semble le reconnaître, et l'inventaire des postulantes est vite fait : dis-moi, Théo, ce n'est pas toi, tout de même ? Vous aimeriez bien en avoir le cœur net, c'est pourquoi, Gyf, sans vouloir t'imposer quoi que ce soit, c'est toi le metteur en scène, que dirais-tu maintenant d'un gros plan, ou d'un zoom avant, au lieu que ce long plan fixe, sans doute te permet-il, une fois la caméra en marche, d'aller faire un tour devant l'objectif, et quel tour, n'est-ce pas, mais est-ce qu'un authentique révolutionnaire dans ton genre ne devrait pas de temps en temps penser un peu aux autres, d'autant que, sans critiquer, tu t'es quand même réservé le beau rôle, tu n'as pas songé à faire appel à une doublure pour appliquer comme à présent goulûment tes mains sur les seins de la belle, charité bien ordonnée, cependant serait-ce trop demander que de mendier quelques miettes de ce festin d'amour, sans imaginer des choses, juste un droit de regard, un peu dans l'esprit de ce pauvre diable qu'un hôtelier traîna devant un tribunal parce qu'il l'accusait de renifler les senteurs de sa cuisine à travers un soupirail, mais, heureusement pour celui-là, le démuni qui se nourrissait des vapeurs d'un bon plat, en ce temps-là on pouvait tomber sur un juge qui était un juste, au point qu'on le canonisa dans l'espoir que ses semblables en prendrait de la graine, car c'était saint-Yves et tu sais ce qu'il fit après avoir reçu le plaignant ? Il jeta en l'air la pièce que l'hôtelier réclamait en dédommagement et, quand elle rebondit sur le sol, rendit sa sentence : le bruit paye pour l'odeur, voilà comment rendait la justice autrefois en Bretagne ton demi-saint patron, et n'oublie pas l'autre moitié, saint Georges, alors terrasse le dragon du doute, rends-nous cette justice que nous avons droit à la vérité, montre-nous la réalité sans fard : alors, Théo ou pas Théo ? Son secret ou pas son secret ?

Je n'ai pas su non plus ce que Gyf avait écrit sur l'ardoise. Peut-être un hommage à la beauté, ou un poème, ou une interrogation sur l'art, ou une phrase définitive sur le sens de l'existence. Peut-être simplement le nom de l'héroïne. De toute manière, en réponse à son signe de tête, j'avais acquiescé, inutile donc de revenir là-dessus. Et tant mieux car, y revenir, ça risquait d'être difficile à présent. Au moment où une image fugitive projetait sur le drap tendu le profil de l'amante qui la tête rejetée en arrière se livrait au soleil, au moment où s'offrait enfin la possibilité de faire toute la lumière, comme on porte un doigt devant sa bouche pour réclamer le silence, j'ai glissé l'archet entre les rayons de la bobine et comme par enchantement le défilement s'est arrêté. Car le cinéma a ceci d'exaspérant qu'il est toujours en mouvement, incapable de s'opposer au cours du temps, à cette inexorable agonie des choses, incapable de proposer une alternative à cette dégradation plan par plan des forces vives – or, si la belle était Théo, ça valait le coup de marquer une pause, de prendre son temps, ça valait le coup d'œil. Il n'y avait plus, bras tendu et en évitant son ombre portée sur l'écran, qu'à s'approcher : s'il s'agit de ton secret, Théo, il n'en a plus pour longtemps.

Plus pour longtemps, en effet : un point sombre est apparu au centre de l'image, qui très vite s'agrandit comme une goutte d'encre tombée sur un buvard, gangrenant la pellicule, caramélisant la nudité des deux corps, puis le profil de l'amante, sa chevelure, envahissant bientôt toute l'image, la creusant, redécouvrant le blanc de l'écran, tandis qu'au-dessus du projecteur s'élevait un mince filet de fumée. J'ai retiré en catastrophe l'archet, mais il était déjà trop tard pour percer le mystère de l'héroïne. Un dé à coudre eût suffi à recueillir ses cendres qui voletaient, légères, dans l'étable. Le guitariste, les yeux fermés, battant du pied contre le sol en terre battu, le visage noyé dans la fumée de sa cigarette qui se consumait entre ses doigts, était trop loin pour s'inquiéter des dégâts provoqués par mon arrêt sur image. Profitant de ma défection, il redonnait à nouveau de la voix, appelait à nouveau sa maman, muré dans ses revendications alimentaires, insensible à cette entêtante question de l'amour qui se posait à deux pas sur un drap tendu inondé de lumière. C'était le moment de m'éclipser.

J'ai déposé les lunettes magiques bien en vue sur la table de la cuisine. Elles ne m'avaient rien appris que je ne soupçonnasse déjà. Savoir que les mêmes montures qui me faisaient blêmir d'effroi et rentrer sous terre quand je les portais, les mêmes sur le nez rond de Gyf au moment crucial n'effarouchaient pas les belles. Pour le reste, lunettes ou pas, on n'y voyait pas plus clair. Comme traînait à côté de la gamelle du chat un crayon à papier, j'ai noté rapidement au travers d'une feuille, en caractères larges : Gyf, ton film est magnifique – et ce n'était pas une formule de politesse car, si je m'interrogeais loyalement, quel film avait produit sur moi une aussi forte impression ? J'avais beau réfléchir, passer en revue mes plus beaux souvenirs de cinéma – et j'y allais chaque semaine alors –, ce Tombeau était plus beau, plus intense, plus vrai, plus émouvant, plus dramatique, plus intrigant, plus drôle aussi (du point de vue du destin, s'entend) que tout ce que j'avais pu voir jusque-là. Plus éphémère aussi. Il n'était plus temps de traîner. Entendant qu'à l'étage supérieur la réunion d'Equinoxe et de Paradoxe faisait quelques bruits, j'ai replacé le violon dans sa boîte et discrètement refermé les deux vantaux de la porte, au moment même où la voix de Gyf s'inquiétait de cette drôle d'odeur qui envahissait sa soupente.

Afin d'éviter que le ronflement du moteur n'attire l'attention, j'ai poussé mon Vélosolex jusqu'à la sortie du chemin, refoulant mètre après mètre la tentation de faire demi-tour, celui-ci de plus en plus improbable à mesure que je m'éloignais. Je n'avais pas tout à fait la conscience tranquille, mais après tout Gyf l'avait bien cherché. Il rêvait d'un film-non-film, il l'avait, et même encore plus radical : un film-plus-de-film-du-tout. Cet autodafé était l'apothéose de ses conceptions esthétiques, un acte parfaitement révolutionnaire, sans doute le premier et ultime témoignage d'un art mongo-aoustinien.

La nuit était tombée maintenant et la lune, embusquée derrière une épaisse couche nuageuse, diffusait une lueur d'encre sur la campagne environnante, m'obligeant à mettre en marche le moteur si je voulais éclairer ma route. La manœuvre était un classique à quoi vous reconnaissiez les vrais professionnels. Vous couriez à côté de la machine pétaradante et, une fois le moteur lancé, d'un bond vous sautiez sur la selle triangulaire. Ce numéro d'acrobatie s'était jusqu'à ce jour passé sans problème. Mais là, cette fuite précipitée, ce départ à la cloche de bois, cette crainte qu'une voix m'appelle me demandant des explications sur cette nouvelle version de Jeanne, ou Yvette, ou Théo, mais au bûcher, toujours est-il que la roue avant soudain s'est mise en travers, forçant le Solex à piler net, et me précipitant par-dessus le guidon. J'ai attendu jusqu'au moment de reprendre contact avec la terre que mon cerveau profite de cette envolée pour me diffuser en accéléré le film de ma vie, un florilège de ses moments-clés. J'aurais aimé apprendre par ce biais quelles séquences m'avaient davantage marqué, et pas nécessairement celles que j'eusse moi-même élues, la mort, le deuil, Fraslin, la belle noyée et autres désagréments, découvrir ce détail qui m'avait échappé bien qu'ayant influé sur le cours futur de mon existence, comme cette pierre que contourne un ruisseau à sa source et qui fait qu'au final la Loire se jette dans l'Atlantique et non dans la Méditerranée. Mais peut-être n'y avait-il rien de marquant que je ne sache déjà, ou rien qui vaille la peine me concernant, ou aucun désir de revivre ce qui avait déjà été vécu, ou mon cerveau était-il grippé. D'où ce vol blanc dans la nuit, ce trait d'amnésie avant d'à nouveau toucher le sol, ou plutôt l'eau car le fossé qui recueillit ma chute n'avait pas encore fini d'écouler les pluies des derniers jours, n'en finissait sans doute pas, sauf peut-être les années de sécheresse, et c'était tant mieux que nous ne fussions pas dans les mois de ces années-là car mon retour sur terre en fut amorti, presque doux.

Curieusement, ma première pensée ne fut pas pour me réjouir de ce que j'étais toujours de ce côté du monde et en apparent bon état, mais pour la récolte paternelle promise par les survivants, renouant ainsi avec un souvenir ancien, alors que, disputant mon tout premier match, je broutais l'herbe après qu'on m'eut arrêté dans mes dribbles glorieux. La prévision m'était revenue : tu récolteras ce qu'il a semé. Mais, en fait de moisson, je ne voyais que la pelouse mal entretenue, la hargne des autres et ma solitude. Et si en dépit des injonctions de mes camarades j'avais tardé à me relever, c'est que je ne voulais pas leur offrir le spectacle de mes larmes qui est toujours triomphe pour certains, quand je savais que tous les pères étaient sur la touche à couver leur progéniture, sauf l'absent définitif car, eût-il été là, le commandeur, mon clocher de tourmente, jamais le sauvage qui m'avait abattu n'aurait osé.

Cette fois encore, le nez dans ma rizière réfrigérée, la récolte était maigre et n'annonçait pas des jours fastes. Il m'apparaissait surtout qu'il me serait difficile de tomber plus bas, parce que plus bas ce serait au minimum être mort. Je tenais donc la preuve que je venais de toucher le fond, à partir de quoi le petit sourire moqueur du destin qui m'était si familier se transformait peu à peu en quelque chose qui pouvait ressembler à de la joie. Une joie limitée sans doute, mais comme ce point sombre tout à l'heure au centre de l'écran, sûre de son fait, prête à tout envahir, une joie comme un brûlot, de sorte qu'après m'être extrait sans trop de bosses de mon marigot polaire, dégoulinant, frigorifié, j'ai redressé le guidon, harnaché à nouveau la boîte à violon sur le porte-bagages, coincé mon sac de sport au-dessus du pédalier, poussé la manette du moteur vers l'avant, couru, les pieds clapotant dans les chaussures, à côté du Vélosolex et, au moment de sauter sur la selle d'un bond alourdi par mon caban plus marine que jamais, j'inventai que je donnais ce coup de talon sur le sol de la mer dont parlent les plongeurs avant d'entamer leur remontée, imaginant que quelque chose venait de s'inverser, ou peut-être la Terre de basculer, mais un mouvement dont j'allais certainement profiter, car, une fois revenu à la surface, qui empêcherait le sorti des eaux de poursuivre sur sa lancée et, s'arrachant à la pesanteur, le plus léger que l'air, de continuer à s'élever, gagnant la troposphère, la stratosphère, l'exosphère ? Et, alors que le petit phare rondouillard calé entre les deux joues cylindriques du réservoir et du carter trouait la nuit de la Terre, souriant déjà à ce moment où, au sommet de mon assomption triomphale, la nouvelle star du ciel médusée se jetterait dans mes bras ouverts.